Sapevi che...

ESSERE ABBONATI … OSO!

D1235223

Abbonarsi è facile
Puoi **abbonarti in qualunque momento** dell'anno

Consegna a casa
La comodità di ricevere **la copia direttamente a casa**

L'idea regalo perfetta
Il regalo che dura **un anno intero**

Convenienza
Per te **speciali sconti** e **meravigliose sorprese** da non perdere

Basta un click
www.abbonamentipanini.it oppure **chiama il numero 059.38.24.60** (dal lunedì al venerdì dalle 9.00 alle 18.00)

Nessun gadget perso
Su **www.abbonamentipanini.it** puoi vedere lo stato del tuo abbonamento, scoprire tutte le novità e non perdere nemmeno un gadget. Alla sezione "**Abbonati e gadget**" troverai tutte le informazioni per ricevere i bellissimi gadget.

ABBONATI SUBITO! IN REGALO

RACCOGLITORE + 10 MONETE DI TOPODOLLARI

Dieci esclusivi Topodollari in metallo dedicati agli abitanti più illustri di Topolinia! Una collezione di monete unica, impreziosita dai disegni inediti del Maestro Marco Rota.

SCOPRI TUTTE LE OFFERTE SU

www.abbonamentipanini.it/131

Lo sconto è calcolato sul prezzo di copertina al lordo di eventuali offerte commerciali edicola. La presente offerta, in conformità con l'art. 45 e 58 del codice del consumo, è formulata da Panini Comics. Puoi recedere entro 14 giorni dalla ricezione del primo numero per le condizioni generali di vendita e il diritto di recesso consulta il sito www.abbonamentipanini.it.

SOMMARIO

PAPERINO E PAPERINA TROVANO IMPIEGO NELLA DIMORA DI UN NOBILE GENTILUOMO... DOVE PERÒ SI TROVANO ALLE PRESE CON UN MISTERO DA RISOLVERE!

STORIA SPECIAL

PAPERINO E L'INGANNO DEL BARONE

TUTTI AL LAVORO!

I lettori sono abituati a vedere Paperino imbarcarsi con coraggio in imprese di varia — anzi varissima! — natura. Vero è che la sua nomea di pigro ha superato i confini di Paperopoli e che spesso lo si trova a oziare sull'adorata amaca, ma è altrettanto vero che gli sceneggiatori l'hanno immaginato impegnato nei mestieri più insoliti e particolari. Meno comune è seguire Paperina al lavoro, come invece accadrà nelle prossime pagine. D'altronde il suo carattere deciso è ormai noto a chi conosce le storie che la vedono protagonista. Da quando Carl Barks la portò sullo schermo nel 1940 con *Mr. Duck Steps Out* ha più volte dimostrato un grande senso della giustizia e il desiderio di non farsi mettere i piedi in testa da nessuno... Così sarà anche nella storia che state per leggere!

LA CURIOSITÀ

Dopo essere comparsa insieme a Paperino in diversi cortometraggi, Paperina si guadagna il ruolo da protagonista nel corto Donald's Dilemma del 1947

PAPERINO E L'INGANNO DEL BARONE

SGRUNT! QUELLO FA IL CASCAMORTO CON PAPERINA...

... E INTANTO IO RISCHIO DI PERDERMI IN QUESTA GIUNGLA!

FORTUNATAMENTE PAPERINA NON SI FA INCANTARE DA NESSUN...
... VISCIDO...
... INFIDO...
... BARONE!

UACK! IN CHE TRAPPOLA SONO FINITO?!

CHE MANINE DELICATE! NON RISCHIATE DI ROVINARLE, CON LE PULIZIE?
QUANTA PREMURA! ALLORA...

... POTRESTE AIUTARMI! TSK!

ECCO LE ROSE, FINALMENTE!
EHI, RAGAZZI! GUARDATE QUA!

"IL BARONE DI LACKADAY"! AH, AH! COME NO!
UH? CHE COSA SUCCEDE?

L'AMICO SI NASCONDE SOTTO UN FALSO NOME!
GULP! SARÀ VERO?

DEVO SAPERNE DI PIÙ!

UN PO' PIÙ A DESTRA... VEDO ANCORA QUALCHE GRANELLO DI POLVERE!
PFUI!

SBUFF
CE NE SONO MOLTI ANCHE QUI! PROVVEDO SUBITO! SGRUNT!
EH, EH! PAPERINA SA IL FATTO SUO!

IL CELLULARE NON PRENDE! CHIAMERÒ I NIPOTINI DA QUESTO TELEFONO!

CIAO, ZIO PAPERINO! QUALCHE RICERCA ONLINE? CERTO, CI PENSIAMO NOI!

QUI, QUO E QUA VANNO SUL SITO DEL CATASTO E...
AVEVI RAGIONE! C'È QUALCOSA DI STRANO!

LA PROPRIETÀ NON È INTESTATA AL BARONE, BENSÌ...
CHE COSA CI FATE QUI?

EHM... AVEVO BISOGNO DI ORDINARE UN PO' DI FERTILIZZANTE! EH, EH!
UHM...
CLACK

SE IL PAPERO SOSPETTA QUALCOSA...
TLAC

... MEGLIO PRENDERE QUALCHE PRECAUZIONE!

INTANTO...
NIENTE DA FARE! È STACCATO!
GULP! MA BISOGNA AVVISARE LO ZIO!
TLIC TLIC TLIC

MI CHIEDO CHI SIA DAVVERO IL PRESUNTO NOBILUOMO! DEVO RICONTATTARE I RAGAZZI!

GASP! CHE COS'È STATO?
SSSH! STA' PIÙ ATTENTO!
CLANG

BAH! FORSE UN GATTO!

A MENO CHE I TIPI CHE ERANO FUORI DAL CANCELLO NON SIANO RIUSCITI A ENTRARE...

PENSI CHE IL PAPERO SIA UNO DI LORO?
POTREBBE TRATTARSI DI UN COMPLICE!

NEL DUBBIO, MEGLIO RENDERLO INOFFENSIVO!

IN QUEL MOMENTO, POCO LONTANO...
SILENZIO! C'È QUALCUNO!

CHE IL FINTO BARONE ABBIA ASSUNTO UNA GUARDIA DEL CORPO?
TSK! QUEL MINGHERLINO?!

NEL DUBBIO, MEGLIO RENDERLO INOFFENSIVO!
EH, EH!

?
?!
!

THUD
SBONK
TUMP
UACK! QUELLO NON ERA UN GATTO!

MMMFFFP!

ACCIDENTI ALLA CANNA DELL'ACQUA! DOV'È FINITO IL PAPERO?

GASP! GUARDA CHI C'È, WILSON!

SGRUNT! ALLORA SONO GIÀ QUI!
COSÌ SE NE STARÀ TRANQUILLO! APPUREREMO DOPO SE FA PARTE DELLA BANDA!

CHE PASTICCIO! E ORA COME MI LIBERO?!

DOBBIAMO METTERLI FUORI GIOCO! ABBIAMO UNA CORDA?
CHE COSA NE DICI DI QUESTA?

WILSON E I SUOI SARANNO NEI PARAGGI...
GIÀ! MI CHIEDO COME MAI NON LI ABBIAMO ANCORA VISTI!

PERCHÉ SIAMO DIETRO DI TE, FURBONE!
GULP!

INTANTO...
URGH! SPERO CHE QUALCUNO MI SENTA!
SBONK
SBONK

ZIO PAPERINO!
TUMP

RAGAZZI! CHE COSA CI FATE QUI?
IL TELEFONO ERA STACCATO, COSÌ SIAMO VENUTI DI PERSONA!

ABBIAMO SCOPERTO CHE NON ESISTE NESSUN "BARONE DI LACKADAY"!
QUESTO POSTO È DI UN CERTO SIMON TARROW!

SE IL NOME TI SUONA FAMILIARE, È PERCHÉ È STATO COINVOLTO IN UN GROSSO FURTO DI GIOIELLI QUALCHE MESE FA!

CHE INTRIGO! QUALE SARÀ IL SEGRETO DELLA VILLA? E RIUSCIRANNO PAPERINO, PAPERINA E QUI, QUO E QUA A SALVARE LE PIUME? QUALCHE PAGINA DI PAZIENZA E LO SCOPRIRETE!

PAPERINO
E L'INGANNO DEL BARONE

LO PRENDO IO!
TUMP

GLAB!
TRUFFE NELLA STORIA

"LIBRO DI SIMON TARROW!"

IN QUEL MOMENTO...
UACK! E LORO CHI SONO?!
CHIUDETE L'ACQUA, PER FAVORE! È FREDDISSIMA!
EEETCIÙ!

IN CASA...
SIGH! È VERO, LAVORAVO AL MUSEO! MA STO CERCANDO DI COMINCIARE UNA NUOVA VITA!

I GIOIELLI RUBATI NON SONO MAI STATI RECUPERATI... E NON SOPPORTAVO PIÙ CHE MI SI CONSIDERASSE COLPEVOLE!
UHM... RICORDO DI AVERE LETTO DI QUESTA STORIA SUI GIORNALI!

GRAZIE ALLA VOSTRA TESTIMONIANZA I LADRI SONO STATI ARRESTATI, NO?
ESATTO! MA SE EVADESSERO E TENTASSERO DI VENDICARSI?!

BAH! NON MI CONVINCI, IMBROGLIONE!
GULP!

TSK! NON VEDI CHE HA I NERVI A PEZZI?
IO NON MI LASCIO INCANTARE...

... CONSIDERATI ANCHE I BRUTTI CEFFI CHE CI SONO IN GIARDINO!
C-COME?!
OH, NO!

IN QUEL MOMENTO, FUORI...
GRRR! DOVE SI SONO CACCIATI I RAGAZZINI?
LASCIAMOLI PERDERE! CONCENTRIAMOCI SU TARROW!

COME ENTRIAMO IN CASA, WILSON?
OH, DIRETTAMENTE DALLA PORTA PRINCIPALE! EH, EH!

POCO DISTANTE...
E COSÌ SIETE POLIZIOTTI?
SÌ... ETCIÙ! SIAMO SULLE TRACCE DI UN GRUPPO DI EVASI!
SONO PERICOLOSI! NON SIETE AL SICURO QUI!

INTANTO...
GASP! SI STANNO AVVICINANDO TRE TIPACCI!
FACCIAMOLI ENTRARE, ALLORA!
M-MA...

SONO PRONTO A RICEVERLI!
TLAC

ARGH!
OUCH!
BEL COLPO!
IH, IH!
TUNK TUNK
GASP! LÌ CI SONO QUELLI CHE MI AVEVANO CATTURATO!
DANNAZIONE! DEV'ESSERE LA POLIZIA...
CHE COSA FACCIAMO? AVETE ALTRE TRAPPOLE?

POTETE SCOMMETTERCI!
MI SERVE SOLO CHE LI ATTIRIATE SUL RETRO...

COSÌ...
SALVE! DA QUESTA PARTE!
UH?
CHI È LA PAPERA?

E ORA? CI SPOSTIAMO?
NIENTE AFFATTO! RIMANETE DOVE SIETE!

OH, NO!
UACK!
PERFETTO! AH, AH!
CLANG

FATECI USCIRE! POLIZIA!
NON CI PENSO PROPRIO! IH, IH, IH!

GRRR... NON AVREMMO DOVUTO FIDARCI!
GIÀ! MA ORA È TROPPO TARDI!
VRRR
VRRR

TARROW! DOVE SONO I GIOIELLI?
VEDI QUESTO PASSAGGIO SEGRETO? PORTA A UNA GROTTA SUL MARE...

... È LÌ CHE HO NASCOSTO LA NOSTRA REFURTIVA! MA NON HO MAI AVUTO L'INTENZIONE DI DIVIDERLA CON CHICCHESSIA!
ALLORA ERI TU LA MENTE DIETRO AL COLPO!

"CERTO! ERAVAMO SCAPPATI A BORDO DI UNA BARCA... MA L'AVEVO MANOMESSA PER SBARAZZARMI DEI MIEI COMPLICI!"
GULP! CHE COSA SUCCEDE?
TUTTO COME PREVISTO!
BOOOM

"COMPRARE QUESTA CASA ERA PARTE DEL PIANO! MI SERVIVA UN FACILE ACCESSO ALLE GEMME!"
ADDIO, COLLEGHI! AH, AH!

CHE FARABUTTO! MERITA UNA LEZIONE!
SFORTUNATAMENTE, SIETE EVASI PRIMA CHE SI CALMASSERO LE ACQUE E POTESSI SPARIRE!

SNORT! SE PENSO CHE NON TI ABBIAMO DENUNCIATO...
NON SEI ALTRO CHE UN LURIDO TRADITORE!

FRA POCO SARÒ ANCHE UN UOMO RICCO! A MAI PIÙ RIVEDERCI, GENTE!
GLAB! QUELLO È...

... UN ORDIGNO ESPLOSIVO! PREPARATEVI A FARE UN BEL SALTO! AH, AH, AH!
GULP! DOBBIAMO FERMARLO!

LE PORTE SONO TUTTE CHIUSE! COME ENTRIAMO IN CASA?
FORSE C'È UN'ALTRA POSSIBILITÀ!

POCO DOPO...
SPERIAMO CHE SIA ABBASTANZA LUNGA!
IO PRENDO QUESTE! CI SERVIRANNO!

STA SCAPPANDO!
MUOVIAMOCI!
FINE DELLA CORSA, TARROW!
ARGH!
SI TORNA NELLA GROTTA!
FERMO! NON SO NUOTARE!
FSSSSSS

FIUUU! PER UN PELO!
COME SI SPEGNE QUESTO AFFARE?!
TIC TAC TIC TAC
DOVETE TAGLIARE UN FILO! IN FRETTA... O NE ANDIAMO DI MEZZO TUTTI!
DICCI QUALE!
Q-QUELLO ROSSO! ANZI...
TIC TAC TIC TAC
... IL NERO? NO, ASPETTATE!
PENSO CHE SIA IL VERDE!
TIC TAC TIC TAC
MA NON MI RICORDO! GLAB!
MANCANO DIECI SECONDI!
AIUTO! È LA FINE!
TIC TAC TIC TAC
FACCIAMO COSÌ!
TIC TAC TIC TAC
BOOOM

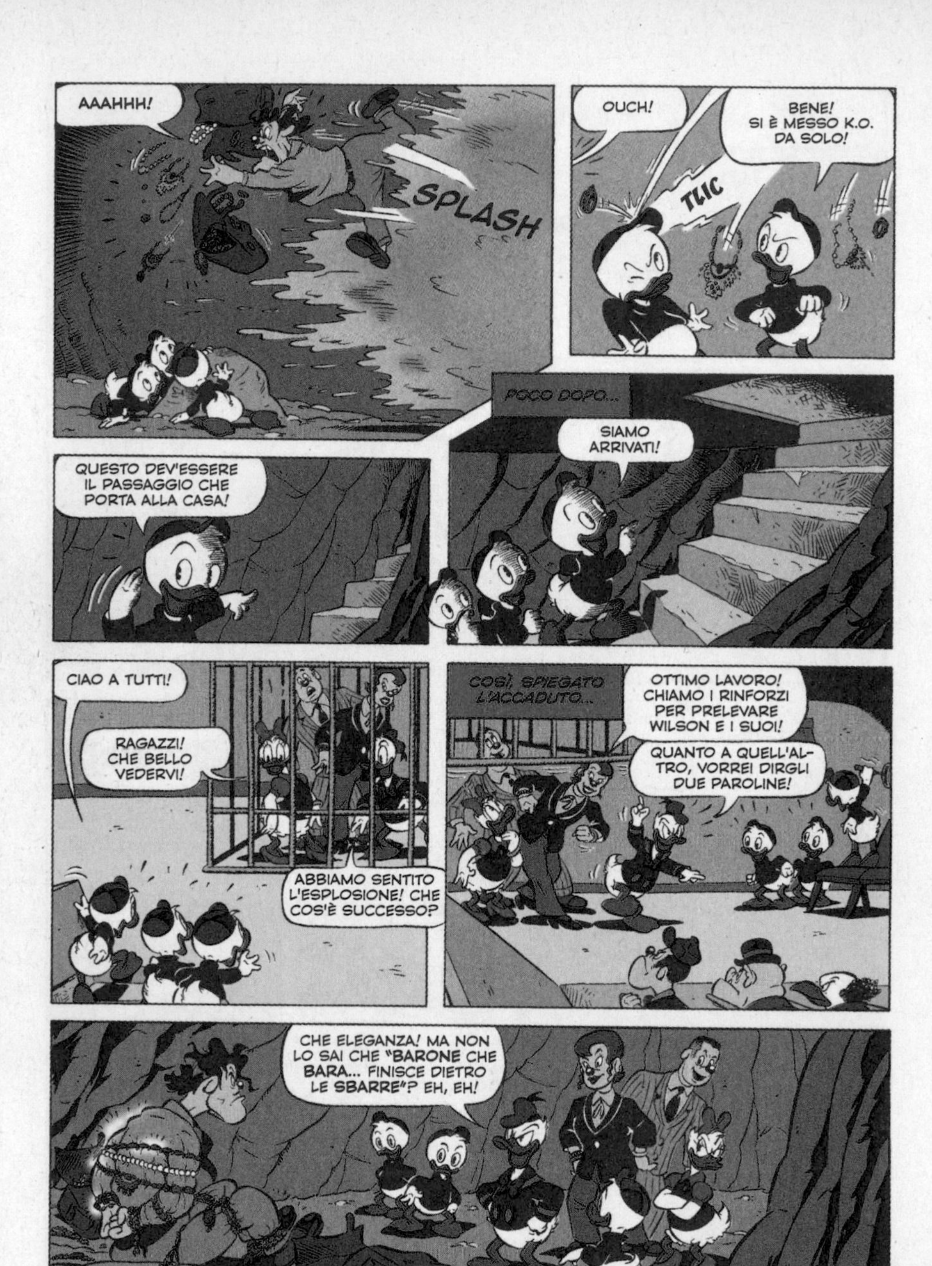
AAAHHH!
SPLASH
OUCH!
TLIC
BENE! SI È MESSO K.O. DA SOLO!
POCO DOPO...
QUESTO DEV'ESSERE IL PASSAGGIO CHE PORTA ALLA CASA!
SIAMO ARRIVATI!
CIAO A TUTTI!
RAGAZZI! CHE BELLO VEDERVI!
ABBIAMO SENTITO L'ESPLOSIONE! CHE COS'È SUCCESSO?
COSÌ, SPIEGATO L'ACCADUTO...
OTTIMO LAVORO! CHIAMO I RINFORZI PER PRELEVARE WILSON E I SUOI!
QUANTO A QUELL'ALTRO, VORREI DIRGLI DUE PAROLINE!
CHE ELEGANZA! MA NON LO SAI CHE "BARONE CHE BARA... FINISCE DIETRO LE SBARRE"? EH, EH!
FINE

LA STORIA SPECIAL

PAPERINO E L'AMICO D'INFANZIA

TOPOLINO N. 792 DEL 31 GENNAIO 1971

Testo di Carlo Chendi – Disegni di Adriana Cristina

Nelle storie più antiche non è raro veder comparire oggetti appartenenti ad altre epoche, come ad esempio il telegramma che Paperino riceve all'inizio della prossima avventura. Ritrovarli sulle pagine di fumetto ci ricorda quanto il mondo sia cambiato dalla prima comparsa del simpaticissimo personaggio... E ci ricorda anche che lo stesso papero con la giubba da marinaio è cresciuto e diventato negli anni un po' diverso da com'era agli inizi. Gli sceneggiatori hanno fatto comparire al suo fianco amici e parenti, arricchendo la sua storia di tantissimi dettagli. Negli anni alcuni di questi sono stati poi ripresi da altri artisti, fino a diventare caratteristici del personaggio. Altri li troviamo solo in una storia, e non per questo sono meno divertenti o preziosi. Possono essere bizzarri amici d'infanzia, come quello della bella avventura scritta da Carlo Chendi che state per leggere, perfetti per mostrarci un Paperino davvero irresistibile...

PAPERINO E L'AMICO D'INFANZIA

WALT DISNEY

FORSE NON E' TUO!
C'E' SCRITTO CHE PEPPO PAPERO VERRÀ A TROVARTI TRA UNA SETTIMANA!
TU NON CONOSCI NESSUN PEPPO PAPERO!

LO CONOSCO! E' UN AMICO D'INFANZIA, IL PIÙ CARO CHE ABBIA MAI AVUTO!

ABITAVAMO PORTA A PORTA E SIAMO SEMPRE STATI NELLO STESSO BANCO, DALL'ASILO INFANTILE ALLE SCUOLE MEDIE! CI CHIAMAVANO "FRATELLI SIAMESI" PERCHÈ ERAVAMO SEMPRE INSIEME!

FINITE LE SCUOLE, PEPPO LASCIÒ PAPEROPOLI! DA ALLORA NON L'HO PIÙ VISTO! ADESSO RITORNA! DEVO PREPARARGLI UN'ACCOGLIENZA DEGNA DELLA NOSTRA AMICIZIA!

IL GIARDINO: FA SCHIFO! LA CASA ANCHE, IDEM LO STECCATO! PER IL SUO ARRIVO BISOGNA RIMETTERE TUTTO A NUOVO!

E così...
L'AMICO È SUO! GRUNT!
NON E' GIUSTO CHE SI DEBBA SGOBBARE NOI!

DUE GIORNI DOPO...
FINITO! CHE SFACCHINATA!

UN BEL LAVORO NON C'E' CHE DIRE! PERÒ...
COS'E' CHE NON' VA?

LE CASE VECCHIE DEI VICINI STONANO CON LA NOSTRA RIMESSA A NUOVO!

VEDO ANCH'IO CHE LA MIA CASA CADE A PEZZI! LE MIE FINANZE PERÒ NON MI CONSENTONO DI RIMETTERLA A NUOVO...

PRIMA DEVO PAGARE LE RATE DELL'AUTO, DELLA LAVATRICE, DEL TELEVISORE, DELLA LAVASTOVIGLIE, DEL...
NON POSSO PORTARE UN VECCHIO AMICO IN UN QUARTIERE DOVE CI SONO CASE COSÌ BRUTTE! L'AGGIUSTEREMO NOI...

RAGAZZI, PRENDETE GLI ARNESI, LA VERNICE E...

NONNA PAPERA CI AVEVA CHIESTO DI ANDARE DA LEI!
AVEVAMO RIFIUTATO PER FARTI COMPAGNIA!
ADESSO ARRIVA IL TUO AMICO E DI COMPAGNIA NE AVRAI FINCHE VORRAI!

LINEA FUORI DEL COMUNE
INOLTRE, DAL MOMENTO CHE NON ABBIAMO UNA STANZA PER GLI OSPITI, GLI LASCIAMO LA NOSTRA!

HO LA VAGA SENSAZIONE CHE SE NE SIANO ANDATI PER NON AIUTARMI AD ABBELLIRE IL QUARTIERE!

MI SONO AMMAZZATO DI LAVORO E HO SPESO UN PATRIMONIO, MA L'HO FATTO VOLENTIERI! QUANDO PEPPO ARRIVERÀ, TROVERÀ TUTTO BELLO, TUTTO NUOVO!

ADESSO PERÒ LE CASE NUOVE STONANO CON LA STRADA PIENA DI BUCHE E I MARCIAPIEDI MALANDATI.

CORRO DALL'ASSESSORE AI LAVORI PUBBLICI!
MUNICIPIO

DEVE IMMEDIATAMENTE FAR RIPARARE STRADA E MARCIAPIEDE!

SONO PERFETTAMENTE D'ACCORDO CON VOI: LA STRADA È MALANDATA E VA RIPARATA!
QUANDO INIZIERETE I LAVORI?

NON APPENA L'ASSESSORE ALLE FINANZE AUTORIZZERÀ LA SPESA!
TORNO SUBITO CON L'AUTORIZZAZIONE!

MI SARÀ FACILE STRAPPARGLIELA: È MIO ZIO!
ASSESSORE ALLE FINANZE

NON ABBIAMO SOLDI! I FONDI DEL COMUNE SONO TUTTI IMPEGNATI IN URGENTI OPERE PUBBLICHE, COME ASILI, SCUOLE, OSPEDALI...
POSSIBILE CHE NON SI POSSANO REPERIRE I POCHI DOLLARI CHE SERVONO PER RIPARARE UNA STRADA?

IL COMUNE HA MOLTI CREDITI! PER ESEMPIO, QUI C'È UN TIZIO CHE DEVE L'ESATTA SOMMA OCCORRENTE PER LA TUA STRADA...
DAI QUA, VADO IO A INCASSARE!

SPERO CHE IL DEBITORE NON SIA GRANDE E GROSSO...

CHE FORTUNA! QUESTO ME LO LAVORO COME VOGLIO!

SENTI, MEZZA CARTUCCIA! SONO VENUTO A RISCUOTERE PER CONTO DEL COMUNE! SGANCIA, OPPURE...

ULP!
SVLOM

MI VITAMINIZZO E TORNO ALLA CARICA!

SE NON FOSSE PER IL SINCERO AFFETTO CHE NUTRO PER PEPPO, MANDEREI A QUEL PAESE IL COMUNE, I SUOI CREDITORI E LASCEREI LA STRADA COM'È!

PAGA!
OHI!
NO!
BAM
BEM

CHI LA DURA LA VINCE! A FURIA DI DARMI PUGNI SULLA TESTA SI È FATTO MALE A UNA MANO... E ALLORA L'HO COSTRETTO A PAGARE!

LA STRADA VIENE RIPARATA...

ADESSO SÌ, CHE IL QUARTIERE È PRESENTABILE!

UHM! SOLO ORA MI ACCORGO CHE I LAMPIONI SONO BRUTTI E VECCHI!

NON ARMONIZZANO CON L'ARCHITETTURA DELLA MAGGIOR PARTE DELLE CASE! DEVONO CAMBIARLI!

DI NUOVO VOI? COSA VOLETE ANCORA?
I LAMPIONI SONO BRUTTI! VANNO CAMBIATI!

SONO D'ACCORDO, MA PER CAMBIARLI...
OCCORRE IL SOLITO BENESTARE DELL'ASSESSORE ALLE FINANZE!

COSA VUOI?
L'ELENCO DEI CREDITORI DEL COMUNE!

NIENTE AL MONDO E' PIU' DIFFICILE CHE INCASSARE I CREDITI DEL COMUNE...

MAI TROVATA UNA PERSONA COSI' GENTILE! PRIMA DI DECIDERSI A PAGARE, M'HA ROTTO APPENA DUE MARTELLI SUL CRANIO! GLI ALTRI CREDITORI DI SOLITO SONO UN PO' PIU' DURI!
SBEM

ECCO...
TI FIRMO SUBITO L'AUTORIZZAZIONE ALLA SPESA, E IL COLLEGA AI LAVORI PUBBLICI PENSERA' A FAR CAMBIARE I LAMPIONI!

BENE! DOMANI ARRIVERA' PEPPO E TROVERA' TUTTO PERFETTO!

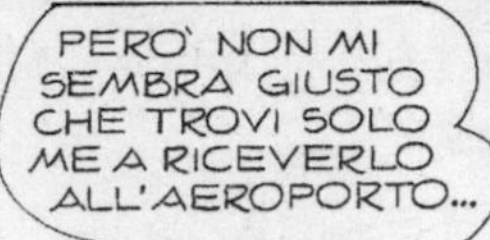
PERO' NON MI SEMBRA GIUSTO CHE TROVI SOLO ME A RICEVERLO ALL'AEROPORTO...

GLI ORGANIZZERO' UN'ACCOGLIENZA TRIONFALE!
MUNICIPIO

DI NUOVO QUI? GLI ASSESSORI AI LAVORI PUBBLICI E ALLE FINANZE PER VOI NON CI SONO...
QUESTA VOLTA DEVO VEDERE IL SINDACO!

SIGNOR SINDACO, VORREI CHIEDERVI DI VENIRE DOMANI ALL'AEROPORTO A RICEVERE PEPPO PAPERO!
CHI È? UN CAPO DI STATO?

NO, UN IMPIEGATO DI BANCA!
SE DOVESSI RICEVERE TUTTI GLI IMPIEGATI DI BANCA CHE ARRIVANO IN CITTÀ, DOVREI LAVORARE 36 ORE AL GIORNO!

PERCHÈ CHIUDETE?

NON VOGLIO CHE QUALCUNO CI DISTURBI! CERCHERÒ DI SPIEGARVI CON QUALE SIMPATIA GLI IMPIEGATI DI BANCA ACCOGLIERANNO IL VOSTRO GESTO E QUANTI VOTI GUADAGNERETE ALLE PROSSIME ELEZIONI...
?

SEI ORE DOPO...

ALLORA A DOMANI!
GLIP! VERRÒ!

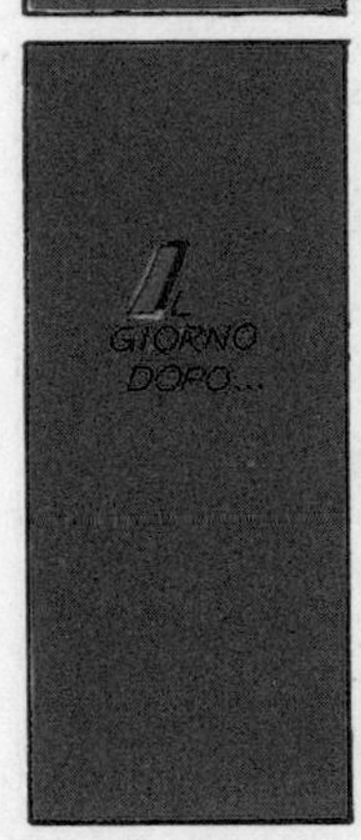
IL GIORNO DOPO...

ECCO L'AEREO!

IO GLI VADO INCONTRO E LO SALUTO! POI VE LO PORTO E VOI GLI CONSEGNATE LA CHIAVE DELLA CITTÀ!

NON MI PENTIRÒ MAI ABBASTANZA DI ESSERMI FATTO TRASCINARE FIN QUI!

PEPPO, VECCHIO BIRBANTE! COME VA?
PAPERINO! LA NOSTRA AMICIZIA SFIDERÀ I SECOLI!

TI RICORDI QUANDO ANDAMMO A FARE IL BAGNO NEL FIUME E TI BUTTAI IN ACQUA VESTITO?
COME NO?

PICCHIAI LA TESTA SU UNO SCOGLIO! QUELLA VOLTA AVREI DOVUTO SUONARTELE!

GIÀ, MA SAPEVI CHE TI AVREI ROTTO IL MUSO!
TU? SEI SEMPRE STATO UNA PAPPAMOLLE! NE AVRESTI BUSCATE TANTE, MA TANTE...

IO SONO UNA PAPPAMOLLE? IO LE AVREI BUSCATE? GUARDA CHE SONO ANCORA CAPACE DI DARTELE, EH?
PROVATI!

IN TUTTA LA MIA VITA NON MI SONO MAI SENTITO COSÌ IMBARAZZATO...
BIM
BAM
SBEM

TI CREDEVO UN AMICO! NON VOGLIO PIÙ VEDERTI!
NEANCH'IO! NON TORNERÒ MAI PIÙ A PAPEROPOLI!

E LA CHIAVE DELLA CITTÀ? CHE NE DEVO FARE?
QUEL CHE VOLETE! NON MI RIGUARDA!

INVECE TI RIGUARDA... PERCHÈ TE LA TIRO IN TESTA, PAPERO SCONCLUSIONATO!
UACK!
ZIP
FINE

WALT DISNEY
PAPERINO
E
L'ADDITIVO
INTENSIVO
B-2565-7

IN UN LABORATORIO DI RICERCHE SUPERSEGRETO...
FORSE QUESTA VOLTA CI SIAMO, ESIMIO COLLEGA!
BENE, NON CI RESTA CHE INCROCIARE LE DITA...

...E ASPETTARE CHE AVVENGA LA REAZIONE CHIMICA!
GIÀ!

FINALMENTE OTTERREMO IL COMPOSTO CHE STIAMO SPERIMENTANDO DA MESI!
EH, EH! QUASI NON RIESCO A CREDERCI!

TI RICORDI QUANTE FORMULE ABBIAMO DOVUTO SCRIVERE PRIMA DI RAGGIUNGERE QUALCHE RISULTATO?
ECCOME!

OH, GUARDA! LA MISCELA STA DIVENTANDO ROSSA!
BUON SEGNO!

A QUESTO PUNTO NON RESTA CHE L'ESPERIMENTO FINALE!
SONO EMOZIONATISSIMO!

?!
!

FUNZIONA! **FUNZIONA**!
EVVIVA!

CE L'ABBIAMO FATTA!
FINALMENTE POSSIAMO FESTEGGIARE... **ALL' APERTO**!

IN EFFETTI, SIAMO RIMASTI **CHIUSI** QUI DENTRO PER UN BEL PO'!
BE', ERA L'UNICO MODO PER NON ESSERE DISTURBATI!

FORTUNA CHE A SINTETIZZARE CIBI E BEVANDE CI PENSAVA IL NOSTRO **"CUOCO AUTOMATICO"**!
ESAGERAVA UN TANTINO CON IL **SALE**, PERO'!
MENU

EXIT
NON PENSIAMOCI PIU`! E` TEMPO DI USCIRE DI QUI, E...

?!

CHE COSA SUCCEDE?
EHM... IL CUNICOLO CHE PORTA IN SUPERFICIE...

...E` SBARRATO DA UN **MURO**!
!

GULP! CHI PUÒ ESSERE STATO?
NON NE HO LA MINIMA IDEA!

TRANQUILLO, IL TELEFONO DI EMERGENZA FUNZIONA ANCORA!
NON RESTA CHE CHIAMARE IL **CAPO**!

ALTROVE...
AH, CHE PACE! UN PO' DI RELAX CI VOLEVA PROPRIO!
LONTANI DAL CAOS E DAI RUMORI DELLA CITTÀ!

E, SOPRATTUTTO, LONTANI DALLO ZIONE!
GIÀ! EH, EH!

SWISS

UH?

SOCK
OUCH!

EHI! CHE RAZZA DI PESCE È MAI QUESTO?

!
ATTENZIONE! CHIAMATA URGENTE PER GLI AGENTI QU-QU 7* E ME-SE 12**!
?!
*AGENTE QUASI QUALIFICATO PAPERINO
**AGENTE A MEZZO SERVIZIO PAPEROGA
SIETE ATTESI AL RIFUGIO n.7! CERCATE DI SBRIGARVI!
ULP!
UN MESSAGGIO DELLA P.I.A.!
LA P.I.A. (PAPERON INTELLIGENCE AGENCY) È IL SERVIZIO SEGRETO ISTITUITO DA PAPERON DE' PAPERONI PER LA DIFESA DEL SUO PATRIMONIO!
P.I.A.
P.d.P. ASSOCIATED
INCREDIBILE! È RIUSCITO A TROVARCI ANCHE QUI!
ADESSO CHE CI PENSO, QUESTO POSTO CE LO HA CONSIGLIATO LUI!

E così...
NESSUNO IN VISTA?
UHM... SEMBRA DI NO!

DENTRO, ALLORA!

TI ASSICURO, FRED! HO VISTO DUE PAPERI ENTRARE DENTRO QUELLA **ROCCIA**!
TU GUARDI TROPPI **TELEFILM**, AMICO MIO!

COME AL SOLITO, LO ZIO HA **RISPARMIATO** SULL'ILLUMINAZION...

...AAAAAH!

PLOFF
PLOFF
URGH!
TANTO PER CAMBIARE, SIETE IN RITARDO!

BAH! TU E I TUOI ACCESSI "DI SICUREZZA"!
NIENTE LAMENTELE, PER FAVORE!

LA SITUAZIONE È DAVVERO GRAVE!
EHM... SPIEGATI MEGLIO...
P.I.A.

GUARDATE! QUESTI SCIENZIATI, ALLE MIE DIPENDENZE, HANNO MESSO A PUNTO UN COMPOSTO CHIMICO DAVVERO INCREDIBILE!

DI CHE COSA SI TRATTA?
DELL' "ADDITIVO INTENSIVO"!

È UNA SOSTANZA IN GRADO DI RADDOPPIARE LA STRUTTURA MOLECOLARE DI QUALUNQUE ALTRA SOSTANZA!
PER ESEMPIO?

DA UN LINGOTTO D'ORO SE NE POSSONO OTTENERE DUE!
CLICK
!

OTTIMO! NON VEDO IL PROBLEMA...
QUEI DUE SCIENZIATI HANNO LAVORATO PER MESI CHIUSI IN UN LABORATORIO SOTTERRANEO!

CLICK
NEL FRATTEMPO, SOPRA AL LABORATORIO È STATA COSTRUITA UNA PALAZZINA!

INTENDI DIRE CHE NON POSSONO PIÙ USCIRE?
GIÀ! L'ACCESSO AL LABORATORIO È STATO COMPLETAMENTE OSTRUITO!

E NON È TUTTO...
ME L'IMMAGINAVO! CHE C'È, ANCORA?

SECONDO LE MIE INFORMAZIONI, QUELLA PALAZZINA OSPITA UN CENTRO DELLA BLONK!
ULP!

INSOMMA, DOVREMMO ENTRARE NEL PALAZZO, TROVARE L'INGRESSO DEL LABORATORIO...
...LIBERARE I DUE SCIENZIATI E POI PORTARLI IN SALVO CON LA LORO PREZIOSA SCOPERTA!

VERO? E TUTTO SOTTO IL NASO DELLA BLONK!
È UNA MISSIONE UN PO' RISCHIOSA, CERTO...

...MA NON PER DUE INTREPIDI AGENTI COME VOI!
INCOSCIENTI, PER MEGLIO DIRE!

A PROPOSITO, PARLIAMO DEL NOSTRO **COMPENSO**!
NON VI CREDEVO COSI' **VENALI**!
BOSS

COMUNQUE, SALDERO' IL CONTO AL TERMINE DELLA MISSIONE!
NON TI SMENTISCI MAI, EH?

SEGUITEMI! IL NOSTRO **MARCHINGEGNERE** VI HA PREPARATO LA BORSA DEGLI **AGGEGGI**!

ALCUNI SONO NUOVI! VI SARANNO UTILI!
ME LO AUGURO!

ANDATE, ADESSO! E TORNATE VINCITORI!
MI ACCONTENTO DI **TORNARE**!

E così...
CI SIAMO! LA PALAZZINA È QUELLA LAGGIÙ!
SE PENSO CHE PULLULA DI AGENTI DELLA BLONK...

MEGLIO NON PENSARCI! PIUTTOSTO, IL PIANO TI È BEN CHIARO?
PIÙ CHE ALTRO MI SEMBRA ASSURDO!

NE HAI FORSE UNO MIGLIORE?
COSÌ SU DUE PIEDI, DIREI DI NO!

TENTIAMO CON QUELLO, ALLORA! E SPERIAMO BENE!

E così...
NESSUNO CI HA AVVERTITO DELLA VISITA DI DUE ISPETTORI!
OVVIO! ALTRIMENTI...

...CHE **ISPEZIONE** SAREBBE?
UHM...

IN EFFETTI, HA UNA SUA **LOGICA**!
GIÀ!

BENE, SIGNORI ISPETTORI! MOSTRATECI LE VOSTRE **TESSERE DI RICONO-SCIMENTO**!
COSÌ POTREMO REGISTRARVI!
!

BE'? VI SIETE IN-CANTATO?
EHM...

AL FUOCO! **AL FUOCO!**
?!

SWOSH
GASP!
ULP!

FLUUSH FLUUSHH

UFF... PER FORTUNA AVEVAMO GLI **ESTINTORI**!

EHI! DOVE SONO FINITI I DUE ISPETTORI?

SI PUÒ SAPERE COME HAI FATTO?
HO USATO LA "PENNA INFIAMMANTE"!

PROVOCA GLI EFFETTI DI UN **INCENDIO**, MA SENZA BRUCIARE VERAMENTE!
INGEGNOSO!

E ORA SBRIGHIAMOCI! PROBABILMENTE CI **STANNO GIA'** CERCANDO!

SECONDO LA *MAPPA* DI *ARCHIMEDE*, SIAMO VICINI ALL'IMBOCCO DEL TUNNEL!

ECCO, DOVREBBE TROVARSI OLTRE QUELLA PORTA!

OH, NO! E' PROPRIO L'UFFICIO DEL **CAPO**!
CAPO
E ADESSO?

DOBBIAMO TROVARE UN MODO PER ALLONTANARLO!

USIAMO QUESTO CONGEGNO!
CHE COS'È?

UN SOFISTICATO GENERATORE DI OLOGRAMMI!

FRA POCO IL NOSTRO AMICO AVRÀ UNA BELLA SOPRESA!

SKRIB
SKRIB

?!

UH? CREDO DI AVERE LAVORATO TROPPO!
FRUSH
CHE COSA STA SUCCEDEN-DO?

POCO FA ERO SEDUTO NEL MIO UFFICI...

HISS
...OOOH!

AIUTOOO!

ORA TOCCA A NOI! DOBBIAMO TROVARE IL **TUNNEL**!

GUARDA, QUI C'E' UNA **BOTOLA**!
PROBABILMENTE PORTA NEI SOTTERRANEI!

FORSE CI SIAMO! SECONDO LA MAPPA, IL **MURO** E' QUELLO!

BASTA SPRUZZARE UN PO' "DI **GELATINA DISSOLVENTE**" E...

PUFF

EHM... SALVE! CI MANDA PAPERON DE' PAPERONI!
FINALMENTE! VI STAVAMO ASPETTANDO!

ORA ANDIAMO E NON DIMENTICATE L'ADDITIVO AGGIUNTIVO!
NON PREOCCUPATEVI! ECCOLO!

DOVREMO MUOVERCI CON CAUTELA!
QUI SOPRA C'È UN EDIFICIO PIENO DI AGENTI DELLA BLONK!

E...
E ADESSO COME PENSATE DI USCIRE?
EH, EH! STATE A VEDERE!

QUESTO CONGEGNO PROVOCA UNA FITTA NEBBIA ARTIFICIALE!
ULP!

RESTIAMO UNITI!
DOVREMMO ESSERE VICINI AL-L'USCITA...

ULP! HAI SENTITO, CUGINO?
GIÀ! COS'È QUESTO STRANO **RUMORE**?

?!
!
EXIT

OH, NO! HANNO AZIONATO L'IMPIANTO DI **ASPIRAZIONE**!

ECCO GLI **SPIONI**!
PRENDIAMOLI!

ADDOSSO!
TUTTI INSIEME!

DA QUESTA PARTE!

ORARIO 15-17 H
UH-OH!

QUI NON AMIAMO GLI **INTRUSI**!
ADESSO VE LA VEDRETE CON NOI!

GLOM! SIAMO SPACCIATI!

KY-AHI!
KY-AHI!
ARRRGH!

SOCK
URGH!
?!
PAFF
UH!
SBAM
THUD

COME AVETE FATTO?
OH, UNA QUISQUILIA!

SIAMO ENTRAMBI MAESTRI DI TE-LE-DOH!
ULP!

OH, NO! TORNANO ALLA CARICA!
E ADESSO?

PANT! DI QUA!

DOVE SIAMO FINITI?
SEMBRA UN LABORATORIO SCIENTIFICO!

LAGGIÙ DOVREBBE ESSERCI UN'ALTRA USCITA!
EHI, **ATTENTI!**
THUD

POFF
URGH!

AIUTOOO!
BOUM
PUM
SI SALVI CHI PUÒ!
PUM
SBENG

COMPLIMENTI! AVETE SCATENATO UNA REAZIONE A CATENA!
NON L'HO FATTO APPOSTA!

SEGUITEMI! HO UN'IDEA!

MA QUESTO È IL GARAGE!
PROPRIO COSÌ! CI IMPADRONIREMO DI UN'AUTO!
EXIT

DISDETTA! NON C'È LA CHIAVE!
PERMETTI?

EHI, COME HAI FATTO?
EH, EH! UN GIOCHETTO DA RAGAZZI!
WROOOUMMM

TROPPO TARDI! CI SONO SFUGGITI!
ORMAI NON LI PRENDIAMO PIU'!

PERCHÈ NON LI HAI FERMATI?
MA... CREDEVO CHE FOSSERO DEI **NOSTRI**!

ERANO VESTITI COME **NOI**!
OH, NO! **NO! NO!**

ALLA FINE...
...E QUESTO E' TUTTO, ZIO!

INCREDIBILE!

QUESTA VOLTA SIETE STATI DAVVERO **IN GAMBA**!
FA PIACERE SENTIRLO!

POSSIAMO PARLARE DEL NOSTRO **COMPENSO**, ADESSO?

PIÙ TARDI! ADESSO NON VEDO L'ORA DI SPERIMENTARE L'"**ADDITIVO INTENSIVO**"!

LO PROVERÒ SU QUESTO BEL **LINGOTTONE D'ORO**!
ALT! NE BASTANO POCHE GOCCE!

CHE EMOZIONE, VEDERE UN LINGOTTO CHE **RADDOPPIA**!

UH? NON CAPISCO... È DIVENTATO PIÙ PICCOLO! **MOLTO** PIÙ PICCOLO!

PRESTO, BATTISTA! I SALI AURIFERI! **GLAB**!
SALI

CHE COSA È SUCCESSO?
FORSE IL COMPOSTO ERA ANCORA UN PO' **INSTABILE**!

TUTTI QUEGLI SCOSSONI DURANTE IL TRAGITTO DEVONO AVERE **ALTERATO** LA SUA STRUTTURA...
...CHE HA FINITO PER FUNZIONARE **AL CONTRARIO**!

LO ZIONE SI RIPRENDERÀ PRESTO! NOI INVECE FAREMMO BENE A SPARIRE PER QUALCHE TEMPO!
E DOVE ANDIAMO?

PERCHÈ NON VENITE CON NOI? CERCHEREMO DI RENDERE STABILE L'"ADDITIVO"!
DUE ASSISTENTI CI FAREBBERO COMODO!

TEMPO DOPO...
CORAGGIO, AMICI! GLI ESPERIMENTI SONO A BUON PUNTO!

PRESTO TORNEREMO A PAPEROPOLI!
EHM... NON ABBIAMO NESSUNA FRETTA!

ASPETTIAMO SOLO CHE ...
...LO ZIO SI DIMENTICHI DI NOI!
?
FINE

WALT DISNEY
PAPERINO & PAPERINA
in: gli INTERESSI in comune
IERI SERA È STATO DAVVERO DIVERTENTE! PECCATO CHE TU NON SIA VENUTO, PAPERINO...
EHM... SAI COM'È, CARA! ERO CON I CUGINI E...
IP-3079-3

COME AL SOLITO... SGRUNT! COMUNQUE, POCO MALE!

ADESSO TI RACCONTO TUTTO!
GLOM!

Così...
BETTY ERA MOLTO ARRABBIATA CON LA SUA **ESTETISTA!** PER FORZA... LE HA FATTO UNA MASCHERA DI BELLEZZA TOTALMENTE SBAGLIATA!
OH, INTERESSANTE...

JENNY, INVECE, STA FACENDO UN CORSO DI **CUCINA DIETETICA** DEL DECIMO LIVELLO!
DECIMO LIVELLO?

SÌ! NON PUÒ PREPARARE NULLA CHE **PROIETTI OMBRA!**
GULP!

SI È ISCRITTA INSIEME A TOM, SAI? **LUI** HA ACCETTATO VOLENTIERI!
UHM... VUOI DIRMI QUALCOSA, **TRA LE RIGHE?**

NO, NO! **NULLA...**
OKAY...

EHM... CARA? TUTTO BENE? CHE COSA C'È?
NIENTE, SIGNOR PAPERINO! UMPF!

QUANDO FA COSÌ, C'È SEMPRE QUALCOSA CHE NON VA! MI SERVE UNA SCUSA PER FILARMELA...

ALLORA VADO, PERCHÉ, VEDI...
TUTTE LE MIE AMICHE SVOLGONO QUALCHE ATTIVITÀ CON I LORO FIDANZATI! FORTUNATE LORO!

AH! ECCO QUAL ERA IL PROBLEMA!
IL PUNTO È CHE NOI NON ABBIAMO NESSUN INTERESSE IN COMUNE! ANZI...

... TU NON VUOI AVERE INTERESSI IN COMUNE CON ME! NON ACCETTI DI CONDIVIDERLI!
UN MOMENTO! MA...

MAGARI PENSI CHE IO NON POSSA **APPREZZARE** I TUOI? O CHE I MIEI SIANO... **NOIOSI?**
CERTO CHE NO! TUTTAVIA...

SOB! NON SI PUÒ CONTINUARE COSÌ!
STAI **ESAGERANDO,** PAPERINA!

HO DECISO! INIZIEREMO UNA **SERIE** DI ATTIVITÀ COMUNI CHE CI AVVICINERANNO ANCORA DI PIÙ! **CONDIVIDEREMO** INTERESSI E PASSIONI...
POVERO ME!
EHM... NE SEI PROPRIO SICURA, CARA?
BASTA DISCUSSIONI, **PAPERINO!**
E VA BENE! CHE COSA TI PIACEREBBE FARE **INSIEME?**
VEDIAMO...

CORSO DI CUCITO?
LEZIONI DI TANGO?
SCUOLA DI TEATRO?
NO!
NEMMENO!
FIGURIAMOCI!

SNORT! LO SAPEVO! NON SEI COLLABORATIVO!
COLPA TUA! HAI CERTE IDEE...

TI PROPONGO UN ACCORDO!
SAREBBE A DIRE?

OGNI DOMENICA FAREMO UN'ATTIVITÀ INSIEME, CHE DECIDEREMO UNA VOLTA A TESTA!
MUMBLE! SEMBRA ACCETTABILE...

PERÒ INIZIO IO!

PRIMA DOMENICA... IL CIRCOLO LETTERARIO!
TIENI! LEGGILO ENTRO STASERA!
SBAM

URGH! CHE COS'È QUESTO MATTONE?
È IL LIBRO DELL'ANNO!

ALLE NOVE NE PARLEREMO TUTTI INSIEME, A CASA DI MINDY! MI RACCOMANDO, NIENTE BRUTTE FIGURE!

PIÙ TARDI...
YAAAWN! PAGINA VENTICINQUE...
BREEEED

SÌ, CERTO... NIENTE MALE! CIOÈ, OTTIMO! MI MANCANO SOLO... POCHE RIGHE!

ALLORA, TI È PIACIUTO IL FINALE?
BE'...
313

E HAI APPREZZATO IL PERIODARE ARIOSO E LA MINUZIA DESCRITTIVA?
STAVO PROPRIO PER PARLARTENE!

BENE! MI ASPETTO CHE TU FACCIA UN INTERVENTO PERTINENTE, DURANTE IL DIBATTITO!
DEVO PROPRIO?
313

DLIN DLON
CORAGGIO, POCHE STORIE!
SOB...

BENVENUTI, AMICI! SIAMO PRONTI A COMINCIARE!

EBBENE, INIZIEREI CON UN BREVE RIASSUNTO DEL LIBRO...
QUELLA POLTRONA SEMBRA COSÌ COMODA...
NON PROVARCI! SIEDITI QUI... NON VOGLIO CHE TI ADDORMENTI!

DOPO DUE ORE...
E COSÌ FINISCE IL PRIMO CAPITOLO! QUALCUNO HA DA AGGIUNGERE QUALCOSA?
EHM... IO?
TAP TAP

MOLTO BENE, PAPERINO! ILLUMINACI!

UHM... HO AMMIRATO IL PERIODARE DESCRITTIVO E LA... MINUZIA ARIOSA! O ERA IL CONTRARIO? COMUNQUE, MI È PIACIUTO UN SACCO!

GRAZIE PER IL CONTRIBUTO! ANDIAMO AVANTI!
BRAVO, CARO... CI HAI PROVATO, ALMENO!

PIÙ TARDI...
CAPITOLO QUATTRO... OH, GUARDATE! ALBEGGIA!
COME PASSA IL TEMPO, QUANDO CI SI DIVERTE!
PAPERINO! NON ESSERE SARCASTICO!

TRA UN'ORA DEVO ESSERE IN UFFICIO... LA NOSTRA SERATA TERMINA QUI!
NOOO! È GIÀ FINITA?

UAO! UN FIDANZATO COSÌ INTERESSATO AI MATTON... EHM... ALLA LETTERATURA! SEI FORTUNATA, PAPERINA!
GIÀ! IL MIO PAPERINO È TUTTA TESTA!
PAT PAT
EH! EH!

SII SINCERO! TI SEI DIVERTITO SUL SERIO?
ALTROCHÉ! LA TUA AMICA MINDY È... CONCISA E COINVOLGENTE!

SONO CONTENTA! E LA PROSSIMA SETTIMANA...
... TOCCA A ME!

SECONDA DOMENICA... LO STADIO!
ALEEE! OH! OH!
STADIO

STA PER COMINCIARE LA PARTITA PIÙ ININFLUENTE DELLA STORIA DEL PAPEROPOLI CALCIO...
VIENI, CARA! I NOSTRI POSTI SONO LAGGIÙ!
SARÀ UN MATCH DI ALTO LIVELLO?
SICURO! LE SQUADRE SONO MOTIVATISSIME!
CERTO, IL RISULTATO NON CONTA MOLTO PERCHÉ ENTRAMBE SONO GIÀ QUALIFICATE... MA L'IMPORTANTE È STARE INSIEME, NO?

IL CENTROCAMPISTA PASSA ALL'ALA... YAAAWN... CHE LA RIPASSA AL CENTROCAMPISTA...
TOP

MA ECCO ARRIVARE... NO, NIENTE... TUTTO FERMO COME PRIMA!

FORZA, RAGAZZI! PORTIAMO A CASA QUESTO ZERO A ZERO!
FORZZZ...

STAI AMMIRANDO LA TATTICA PERFETTA DEL PAPEROPOLI?
UH? SÌ, SÌ... CERTO! SEMBRA UNA PARTITA A SCACCHI!

L'ARBITRO HA FISCHIATO! È FINITO LO STRAZIO, AMICI TIFOSI!
UAO! CHE SPORT ENTUSIASMANTE, IL CALCIO!
ALTROCHÉ...
FIII
FIIII

ALLORA, TI SEI DIVERTITA?
TANTISSIMO! PORTAMI A CASA, ADESSO... DEVO RIPRENDERMI DA TUTTE QUESTE EMOZIONI!

EH, EH... TI CAPISCO! CI SENTIAMO PRESTO!
CIAO, CIAO!

MUMBLE! SEMBRA CHE PAPERINA MI NASCONDA QUALCOSA...

MUMBLE! NON VORREI PENSARE MALE, MA...

CHIARO! NON ME L'HA DETTO, MA NON SI È DIVERTITA!

MA SÌ! DEVE AVERMI PORTATO AD ANNOIARMI, APPOSTA! SI MERITA UNA LEZIONE...

TERZA DOMENICA... CORSO DI RICAMO CREATIVO...
BENVENUTE, RAGAZZE! CHE TEMA VOLETE AFFRONTARE, OGGI?

I CENTRINI!
GROAN...

OOOH! MOLTO BRAVE!
DOMENICA PROSSIMA SARETE VOI A INSEGNARE A ME! IH! IH!
AHI! SGRUNT!

ATTENTO CON QUELL'AGO, GIOVANOTTO! ALTRIMENTI TI BUCHERELLI TUTTE LE DITA!
EHM... COME POSSO PROTEGGERMI?

FATTI UN BEL PAIO DI GUANTI A UNCINETTO!
SIGH...

QUARTA DOMENICA... LEZIONI DI MECCANICA!
RIPARAZIONI AUTO
GRAZIE PER IL TUO TEMPO, JIM!
CHIUSO
FIGURATI, PAPERINO!

NON CAPITA TUTTI I GIORNI CHE UNA RAGAZZA SI INTERESSI DI QUESTE COSE!

INIZIAMO DA UN LAVORETTO SEMPLICE...
... RIMUOVERE IL MOTORE, PER POI SMONTARLO, PULIRLO E RIMETTERLO A POSTO!
EH! EH! UNA BAZZECOLA!
EHM... QUAL È IL MOTORE?

QUESTO! E ADESSO SPORCHIAMOCI UN PO' LE MANI!
IO GIÀ MI STO SPORCANDO TUTTO IL RESTO... AVETE UN PÒ DI SAPONE LIQUIDO?

HANNO INVENTATO UN SAPONE... LIQUIDO?!
NON PREOCCUPARTI, AMICO... ANDRÀ BENISSIMO IL TUO STRACCIO!
GLAB...

QUINTA DOMENICA... GIORNATA VERDE!
UAO! LO SPETTACOLO DELLA NATURA...
COMMOVENTE!
UH?!

SCUSA, PAPERINA... CHE COSA STIAMO FACENDO?
CHE DOMANDA! GUARDIAMO I FIORELLINI CHE CRESCONO!

GULP! E QUESTO SAREBBE UN TUO... INTERESSE?
CERTO! SONO UNA PAPERA SENSIBILE, IO! SENSIBILE E PAZIENTE! EH! EH!

SESTA DOMENICA... AL CANTIERE!
ALLORA, RAGAZZI... COME VANNO I LAVORI?
UN PO' A RILENTO, A DIRE LA VERITÀ! MA OGGI, IN EFFETTI, È UNA GIORNATA FESTIVA...
SE FOSSI IN LORO, SCAVEREI UNA BUCA PIÙ GROSSA!

CHI SONO I TUOI... ATTEMPATI AMICI, CARO?
VERNON E TIMOTHY! OGNI TANTO VENGO QUI CON LORO A GUARDARE I CANTIERI!

GUARDARE I CANTIERI... E POI?
DARE CONSIGLI, CHE NESSUNO ASCOLTA!

SGRUNT! QUESTO È TROPPO!
PAPERINA! NON CAPISCO...

NON FARE IL FINTO TONTO! SMONTARE UN MOTORE? GUARDARE LE ESCAVATRICI?!
BAH! ASPETTARE CHE CRESCANO I FIORELLINI È FORSE DIVERSO?

VOGLIO FARE QUALCOSA DI DIVERTENTE!

BE',
LA MECCANICA
È IMPORTANTE
E UTILE...
E LA
NATURA È UNO
SPETTACOLO DA
AMMIRARE...

PAPERINA?
DIMMI, CARO...

A ME NON INTERESSA
QUELLO CHE MI PROPONI
DI FARE...
OOOOH!
AH!
È COSÌ?!

... CONTA
SOLO FARLO
CON TE!

PAPERINO!
COME SEI
DOLCE!
EH! EH!
BRAVI!
SNIFF! CHE
ROMANTICI!
CLAP
CLAP
CLAP

E così...
NO, GASTONE... OGGI **NON VENGO** ALL'AUTODROMO!

NIENTE **MASSAGGIO DOMENICALE** PER ME!
SEI SICURA, PAPERINA?

NON CAPISCO! CHE COSA C'È **DI MEGLIO**?!

DEVO **COLTIVARE** IL MIO INTERESSE PREFERITO! CIAO!

CHE COSA DESIDERI FARE, CARA?
SEMPLICEMENTE... STARE IN TUA COMPAGNIA! **EH, EH!**
FINE

PAPERINO e il COLPO di FULMINE
PAPERINO HA TROVATO UNA PROFESSIONE NUOVISSIMA...
ARNOLD! E' ARRIVATO!
E' SEMPRE BELLO VEDERE CHE SI E' ATTESI CON ANSIA!

...IL METEOROLOGO PER INTERNI!
SI'?
NON FATECI STARE IN ANSIA!
SULLA BASE DELLE VOSTRE ESIGENZE E DELLA CONFORMAZIONE DELLA CASA...

MA SI'! AVRETE IL **MICROCLIMA** DI UN **BOSCO DI CONIFERE!**
OH! QUELLO CHE DESIDERAVAMO!

FATEVI UNA PASSEGGIATA! TORNATE TRA UN'ORETTA E SARA' TUTTO A POSTO!
OTTIMO!

A CIASCUNO IL CLIMA CHE PREFERISCE... ALMENO IN CASA SUA! QUESTO E' IL MIO **MOTTO**!

IL TASSO DI UMIDITA' E' PERFETTO... AVEVO GIA' INSTALLATO L'APPARECCHIATURA ADATTA!

AROMI E PROFUMI NELLE PROPORZIONI ESATTE DARANNO LA SENSAZIONE GIUSTA!
BLIP BLIP

GLI EFFETTI SPECIALI VISIVI E SONORI FANNO IL RESTO!
CIP CIP
CIRRIP

E COSI'...
OH, E' MERAVIGLIOSO! C'E' PROPRIO LA STESSA... ARIA!
LE ANALISI LO CONFERMANO! IL MICROCLIMA E' QUELLO DI UN BOSCO!
E' COSI' RIPOSANTE...
CIP
CIP

ARNOLD! UNO SCOIATTOLO!
SQUIT
QUALCHE PICCOLO EFFETTO SUPPLEMENTARE... PER QUANDO VOLETE QUALCOSA DI PIU'! EH! EH!
POP
BELLISSIMO!

CIO' CHE CONTA E' COMUNQUE L'ATMOSFERA E LA QUALITA' DELL'ARIA!
MA ANCHE IL RESTO E' DIVERTENTE!

SEGUITE LE ISTRUZIONI E NON AVRETE PROBLEMI!
GRAZIE MILLE! SIETE UN VERO PROFESSIONISTA!

GIUSTO! E SONO ANCHE L'UNICO NEL CAMPO...
BRIP
BRIIIP
UNICO E MOLTO RICHIESTO...
HO UN BUCO TRA LE UNDICI E LE UNDICI E UN QUARTO FRA DUE MESI! VI PRENOTATE?

PAPERINO NON LASCIA NULLA AL CASO...
ECCO A VOI IL CLIMA DELLA GIUNGLA PALUDOSA DELLA LOUISIANA! CALDO E UMIDO!
MERAVIGLIOSO! MI SEMBRA DI ESSERE LI'!

OH, E QUESTE CHE COSA SONO?
ZANZARE, NATURALMENTE! COME POTREBBE UNA PALUDE ESSERNE PRIVA?

TRANQUILLO! SONO FINTE! CON QUESTO, POTRETE REGOLARNE NUMERO E INTENSITA' SONORA!
BZZZZZ

OVVIAMENTE, ANCHE GLI **ALLIGATORI** FANNO PARTE DELL'AMBIENTE!
GASP!
GROAAAAR!

FIUUU! SEMBRAVA VERO!
COSI' DEV'ESSERE! UNA PROIEZIONE **OLOGRAFICA** ALLO STATO DELL'ARTE!

POTETE TOGLIERE GLI EFFETTI, SE VOLETE! RESTERETE COMUNQUE CON IL MICROCLIMA CHE DESIDERAVATE!
L'ALLIGATORE LO USERO' PER GLI OSPITI INDESIDERATI! EH, EH!

LE RICHIESTE SONO VARIE; MA PAPERINO E' SEMPRE PRONTO...
SECCO E CALDO AL PUNTO GIUSTO... IL PERFETTO CLIMA DEL **SAHARA**!
HO SEMPRE DESIDERATO ANDARCI, MA IL LAVORO NON ME LO PERMETTE!

NON C'E' CLIMA CHE PAPERINO NON RIESCA A RICREARE...
STUPENDO! SENTO IL PROFUMO DELLE NINFEE DI UN VERO STAGNO!
E IL GRACIDARE DELLE RANE? E' QUELLO GIUSTO!
PER NON PARLARE DEL TASSO DI UMIDITA'... PRECISO AL CENTESIMO!
CROAC CROAC

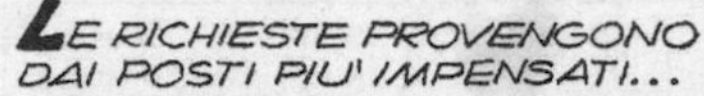
LE RICHIESTE PROVENGONO DAI POSTI PIU' IMPENSATI...

SO CHE SEI DIVENTATO UN ASSO, PAPERINO...

...E MI PIACEREBBE TANTO LAVORARE NELL'ATMOSFERA DI UN TUNNEL MINERARIO DEL KLONDIKE!

CON QUELL'INCONFONDIBILE AROMA DI TERRICCIO E PIETRISCO CHE PROFUMA DI MINERALI E DI SPERANZE...
NESSUN PROBLEMA!

SENTENDO IL RUMORE DEL PICCONE CHE COLPISCE RITMICAMENTE, CERCANDO LA RICCHEZZA...
NESSUN PROBLEMA!

QUESTO E' UN PREVENTIVO DI MASSIMA!
!

TUTTO SOMMATO, QUALCHE PROBLEMA C'E'... A QUANTO VEDO!

LA FACCIA DELLO ZIONE ALLA VISTA DEL CONTO E' STATA UNA SODDISFAZIONE IMPAGABILE...
VIGILATO

...MA ORMAI E' TUTTO COSI' FACILE! AVREI BISOGNO DI UNA VERA SFIDA...

IL CLIENTE SUCCESSIVO E' LARRY SCRYBER, UN FAMOSO SCRITTORE...
"CIME TEMPESTATE", L'HO VISTO IN LIBRERIA!
...MA HO SCRITTO UN SOLO ROMANZO, DIECI ANNI FA!

HA AVUTO UN SUCCESSO ENORME E SONO DIVENTATO RICCO, MA...
...NON SIETE PIU' RIUSCITO A SCRIVERE!

INFATTI! HO TENTATO, MA NON HO PIU' TROVATO L'ISPIRAZIONE!
MI SPIACE, MA NON POSSO AIUTARVI...

INVECE **SOLO VOI** POTETE FARLO!
E COME?

HO SCRITTO IL MIO ROMANZO IN UNA SOLA NOTTE...

"...IN UNA CASUPOLA SUL MONTE FURIOSO, DURANTE UNA TERRIBILE TEMPESTA!"
TIC TIC TIC
CRAAAK
BROOOM
"LORIANA SCOSSE I SUOI FLUENTI CAPELLI, MENTRE IL VENTO SELVAGGIO LE TRASPORTAVA IL PROFUMO DELLA BRUGHIERA!"
TIC TIC TIC

SENTO CHE RITROVERO' L'ISPIRAZIONE SOLO SE SARO' **ESATTAMENTE** NELLA MEDESIMA ATMOSFERA!

POTRESTE TORNARE IN QUELLA CASETTA E ASPETTARE UNA TEMPESTA!
ALLORA ERO POVERO... ORA SONO **RICCO**!

COME POTREI CONFINARMI LASSU' PER SETTIMANE? MI PIACCIONO LE COMODITA'!
EH, EH! CAPISCO!

OKAY, PREPARATEVI! DOMANI SCRIVERETE UN NUOVO ROMANZO... IN UN CLIMA TEMPESTOSO!
GRANDE!

E COSI', IL GIORNO DOPO...
FATE UN LAVORO STRANO! PERCHE' L'AVETE SCELTO?
MI PIACE! E' UN MESTIERE DI GRANDE PRECISIONE!

BISOGNA TENERE CONTO DI PARECCHIE VARIABILI!
DAVVERO?

NEL VOSTRO CASO, PER ESEMPIO, DEVO CALCOLARE L'ESATTA QUANTITA' DI **OZONO** NECESSARIA!

GLI AROMI, I PROFUMI... DEVONO ESSERE **PRECISI**! TUONI E FULMINI DEVONO AVERE LA CORRETTA INTENSITA'!
INTERESSANTE!

BASTA UN PICCOLO ERRORE E L'INCANTO SVANISCE... PERCHE' E' UNA **ILLUSIONE**, MA DEV'ESSERE **REALE**!
BEL CONCETTO!

SINORA NON HO MAI SBAGLIATO... E NON COMINCERO' CERTO ADESSO! SIETE PRONTO?
PRONTISSIMO!

E ALLORA... **VIA**!
DOVE ANDATE?

REGOLERO' TUTTO DA FUORI! NON DOVETE VEDERMI! NELLA VOSTRA TEMPESTA... IO NON C'ERO!
GIUSTO!
POCO DOPO...
IL PRIMO LAMPO... E IL PRIMO TUONO! UAO!
CRAAAK
BOOM

LA PIOGGIA... E L'ARIA FRIZZANTINA! E' TUTTO COME ALLORA...
SCROOOSH

UNA SIGNORA TEMPESTA! BISOGNA AMMETTERLO, SONO DAVVERO BRAVO!

LARRY COMINCIA A SCRIVERE...
SI', SI'... MI PARE DI SENTIRE L'ISPIRAZIONE CHE ARRIVA!
TIC TIC
SCRAASH
ZATA
CRAAAK

E AL TERMINE DELLA "TEMPESTA"...
CHE COSA AVETE SCRITTO?
GUARDATE!

"BILLY INCONTRO' DOLLY E LEI GLI PIACQUE! LA COSA FU RECIPROCA"... TUTTO QUI?
DI PIU' NON MI E' VENUTO!

LA VOSTRA TEMPESTA ERA OTTIMA, MA...
MA?

MA LA TEMPESTA DI **QUELLA** VOLTA ERA **PERFETTA**! FORSE IMPOSSIBILE DA REPLICARE!
NO! QUESTA E' LA SFIDA CHE ASPETTAVO!
AVRETE LA VOSTRA TEMPESTA!

E COSI'...
OKAY! VERRO' CON TE ALLA RICERCA DELLA TEMPESTA PERFETTA! COSI' COLLAUDERO' **METEOR**!
OH! E CHE COS'E'?

UN PROTOTIPO DI ROBOT MULTIFUNZIONE, CON UNA SPICCATA PREDILEZIONE PER LA **METEOROLOGIA**!
OTTIMO!

VADO A RECLUTARE PICO! SI PARTE DOMANI!
IO E METEOR CI SAREMO!

LA SPEDIZIONE SI INOLTRA NELLE MONTAGNE RIOTTOSE...
PICO ANALIZZERA' LA GIUSTA COMPOSIZIONE DI PROFUMI E AROMI DA INSERIRE NEL MICROCLIMA...
BUONA IDEA!
OH, CHE MERAVIGLIOSO ESEMPLARE DI **RUBIZZA PORTENTOSA**!

METEOR, INVECE, CI GUIDERA' ALLA RICERCA DELLE TEMPESTE!
E IMMAGAZZINERA' LA **VERA** ELETTRICITA' DEI FULMINI?

CERTO! MA SARA' UGUALE ALLA NORMALE ELETTRICITA' DI CASA!
LO DICI TU! L'AUTENTICITA' SARA' **TOTALE** SOLO CON UN VERO **COLPO DI FULMINE**!

SOLO COSI' LA MIA TEMPESTA SIMULATA DARA' LE STESSE SENSAZIONI DI QUELLA VERA!

E, FINALMENTE...
METEOR PERCEPISCE QUALCOSA DI INTERESSANTE!
BZZZ
BZZAAP
UN TEMPORALE?

E DI QUELLI GROSSI... STANDO A QUESTI DATI!
OTTIMO! TUTTI AI PROPRI POSTI, ALLORA!

MI RACCOMANDO! COGLI CON ESATTEZZA OGNI FRAGRANZA TEMPESTOSA!
NON TI PREOCCUPARE! SARO' ANALITICO!

METEOR E' PRONTO CON IL SUO CATTURAFULMINI!
MOLTO BENE!
BZZZ

IO MISURERO' IL TASSO DI UMIDITA', LA TEMPERATURA E LA FORZA DEL VENTO!
NON CI RESTA CHE ASPETTARE, ALLORA!

LA TEMPESTA ARRIVA BEN PRESTO...
CENTRATO! METEOR HA INCASSATO UN FULMINE!
CRAAAK
SCROOSH
BURP!
OTTIMO! HO QUASI FINITO CON I DATI IGROMETRICI...

METEOR ARCHIVIA DEI DATI PRECISISSIMI, SE VUOI!
LI USERO'! MA MI SERVE ANCHE LA SENSAZIONE DEL MIO FIUTO!

SNIFF... SOLO COSI' POSSO RICREARE LA STESSA ATMOSFERA!
EHI! E PICO DOV'E'?

SONO QUI!
?

E LE RILEVAZIONI BOTANICO-METEOROLOGICHE?
POSSO DIRTI QUANTI DECILITRI D'ACQUA SONO CADUTI, SE VUOI!

CREDEVO CHE FOSSI ABITUATO ALLE RICERCHE SUL CAMPO!
NON SOTTO UN **URAGANO**!

I DATI RACCOLTI SONO QUINDI INCOMPLETI, PURTROPPO!
NON IMPORTA! E' STATA UNA BELLA TEMPESTA, MA NON PERFETTA!

RESTA IL PROBLEMA DI PROTEGGERE PICO DALLE INTEMPERIE!
EHM... TEMO CHE UN OMBRELLO NON SAREBBE SUFFICIENTE!

L'OMBRELLO CHE HO IN MENTE IO SARA' PERFETTO!
BIP BIP BIP
LO FARA' METEOR?

CERTO! VE L'HO DETTO CHE E' VERSATILE, NO? ECCOLO QUI!
COME OMBRELLO MI SEMBRA UN PO' PICCOLINO!
BOP

E' GRANDE QUANTO BASTA! TIRAMI UNA SECCHIATA D'ACQUA, PAPERINO!
COME VUOI!

VISTO? UN CAMPO DI FORZA OMBRELLIFERO MI PROTEGGE!
FANTASTICO!
SPLASH

ADESSO POSSO GARANTIRE QUALUNQUE RILEVAZIONE!
SCROOOSH
TUTTI PRONTI, ALLORA! ALLA PROSSIMA TEMPESTA!

MA SULLA CIMA DEL MONTE FURIOSO...
IL SOLE SPLENDE DA GIORNI!
METEOR NON RILEVA NULLA, MI SPIACE!
PERCHE' QUELLE FACCE? OSSERVATE CHE INTERESSANTISSIMI ARBUSTI!

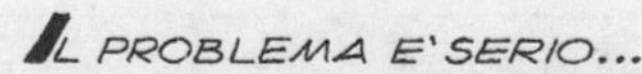
IL PROBLEMA E' SERIO...

CI SAREBBE UNA POSSIBILITA' SPERIMENTALE...
QUALE?

METEOR PUO' FARE DA AGGREGATORE TEMPESTOSO!
E CREARE UNA TEMPESTA?

SI'! HA L'ENERGIA PER FARLO E LA CAPACITA' DI RICHIAMARE I GIUSTI ELEMENTI!
E ALLORA...CHE COSA ASPETTIAMO?

QUI NON FAREMO DANNO A NESSUNO!
OKAY! PROVIAMO! PROGRAMMO UNA BELLA TEMPESTA!

I RISULTATI SI VEDONO SUBITO...
QUELLE NUVOLE SONO PROMETTENTI! SPINGI LA POTENZA AL MASSIMO!
D'ACCORDO!
BZAAP
BZZZAP

OH, PIOVIGGINA! ATTIVO SUBITO IL CAMPO DI FORZA!
BIP

ED ECCO LA SUPER TEMPESTA!
ULP! ANCHE TROPPO! NON AVREMO ESAGERATO?
CRAAAK
UAO! QUESTA SI' CHE VA BENE!

UHM... SI'! IL VENTO E' UN TANTINO FORTE!
HAI FATTO LE RILEVAZIONI?
VOOOSHHHH

QUASI! E TU SEI A POSTO?

SI'! MA MI SENTIREI PIU' A POSTO DA QUALCHE ALTRA PARTE!
SCROOOSH

ANCH'IO HO QUASI FINITO LA MIA RELAZIONE... E DEVO DIRE CHE IL MALTEMPO NON MI DISTURBA!

ANCHE SE, A DIRE IL VERO, CONCORDO CHE IL VENTO E' UN PO' **ESAGERATO**!
VOOOSHHH

PAPERINO, INSISTO: BISOGNEREBBE TROVARE UN RIPARO!
OKAY! HO FINITO!

MA DOVE LO TROVIAMO UN RIPARO?
DOBBIAMO SPOSTARCI! PROVO A TRASFORMARE METEOR IN UN VELIVOLO...
OH, CHE BELLA, QUESTA RARA MILLEFOLIA MACULATA!
CRAAK

MA IL LAVORO NON E' FACILE...
NON RIESCO A RIPROGRAMMARLO IN QUESTE CONDIZIONI!
PROVACI! OPS!

VEDIAMOLA MEGLIO... OOOPS!

EHI, RAGAZZI!

SONO FINITO IN UNA BUCA!
CORRIAMO! QUELLA BUCA POTREBBE ESSERE UN BUON RIFUGIO!

INFATTI...
SU LA TEMPESTA INFURIA, MA QUI NON SI STA NIENTE MALE!
COGLIERO' L'OCCASIONE PER APPROFONDIRE I MIEI STUDI MINERARI!
C'E' UN TUNNEL! METEOR, FACCI LUCE!

EHI! SE SOLO QUESTO FOSSE UN TUNNEL DEL KLONDIKE...
E' COME SE LO FOSSE, TE LO DICO IO! HO APPENA FATTO UNO STUDIO PROPRIO IN QUELLA REGIONE!
OTTIMO!

ALLORA, GIA' CHE CI SONO, PRENDO I DATI PER FAR CONTENTO LO ZIONE!

PIU' TARDI...
CI SIAMO! METEOR SEGNALA CHE LA FINE DEL TUNNEL E' VICINA!
MOLTO BENE!

ANCHE SE AVREI PREFERITO UN'USCITA UN PO' MENO **SPETTACOLARE**!
NON PREOCCUPARTI!
METEOR RILEVA CHE LA PROFONDITA DEL LAGO E' SUFFICIENTE A UN TUFFO SENZA DANNI!

AL RITORNO A PAPEROPOLI...
VAI A CREARE LA TUA MICROTEMPESTA PERFETTA?
PRIMA DEVO TOGLIERMI UNA PICCOLA SODDISFAZIONE!
ARCHIMEDE GENIO

COSI'...
AH, SI'! SNIFF! L'ARIA E' QUELLA GIUSTA!
THUD THUD

ALL'ATMOSFERA AUTENTICA, HO ABBINATO IL SUONO DEI PICCONI...
SI', GRAZIE! MA PER QUANTO RIGUARDA...EHM...
THUD THUD

NON TI PREOC-
CUPARE... E' GRATIS!
AH, CHE SOLLIEVO!

L'UNICA COSA CHE MANCA E' L'AROMA DELL'ORO! MA DI QUELLO NE HAI A BIZZEFFE!

CHE SODDI-
SFAZIONE FARGLI VEDERE COME SO-
NO SUPERIORE AL VIL DENARO! EH, EH!
SCIO'

E ORA PRENDIAMOCI UN'ALTRA SODDISFAZIO-
NE... DA LARRY SCRYBER!

MA...
COME? STA-
TE SCRIVEN-
DO?
A PIU' NON POSSO! NON MI SERVE PIU' LA TEMPESTA!

HO CAPITO CHE PER SCRIVERE NON MI SERVIVA L'ATMOSFE-
RA... MA UNO SPUNTO GIUSTO!
M-MA ALLORA...

GRRR! E ME LO DITE COSI'... DOPO AVERMI FATTO FARE UNA FATICACCIA?
MA NO... ASPETTATE!

LA TEMPESTA NON MI SERVE PIU'... MA VOI SI'! VI PAGHERO' BENE!
UHM... SPIEGATEVI!

E COSI'...
POTEVATE DIRLO SUBITO CHE IL PROTAGONISTA DEL VOSTRO ROMANZO FA LA MIA PROFESSIONE!
MENTRE ERAVATE VIA, CI HO PENSATO E MI SONO SENTITO ISPIRATO!

DEVO DIRE CHE E' MOLTO MEGLIO STARSENE QUI A MOLLO CHE CERCARE TEMPESTE...

EHI! MA COS'E' CHE MI FA OMBRA?
EHM... CREDO SIA QUALCUNO CHE VI CERCA!

NEL MICROCLIMA AUTENTICO CHE MI HAI PREPARATO L'AROMA DELL'ORO... C'E'! ED E' INCONFONDIBILE! SALTA SU'!
FLUKA-FLUKA-FLUKA
MA IO STO BENE QUI...
NON STARAI PIU' TANTO BENE SE NON TI MUOVI IMMEDIATAMENTE!
E COSI'...
GASP! LOZIONE!
NON VI PREOCCUPATE! HO ABBASTANZA MATERIALE PER IL ROMANZO!
SGRUNT! CIO' MI CONFORTA ASSAI!
ACCOMPAGNAMI NEL PUNTO ESATTO DEL MONTE FURIOSO!
FLUKA FLUKA FLUKA
TROVEREMO L'ORO IN QUEL TUNNEL... DOVESSIMO METTERCI UN MESE!
PROMEMORIA: LA PROSSIMA VOLTA RICORDARSI DI NON STRAFARE E DI LIMITARSI ALLO SCOPO ESSENZIALE DELLA MISSIONE!
FINE

WALT DISNEY
BUONA SFORTUNA
Paperino!

IL LUNEDI' MATTINA, SE FUORI PIOVE E FA FREDDO, COSA C'E' DI PIU' DELIZIO-SO CHE...
I-1503

...DORMIRE AL CALDO SOTTO LE COPERTE?
TIC TAC TIC TAC TIC TAC TIC TAC
TIC TAC TIC...

DRRRiiiiiiiiiiiiiiNNNN
NOOOO!
RRiiiiNNN
RRRiiiiiNNNG
ZAP
ZOW
RiiiiNN
iiiNNNG

SPLASH

SLAM

YAWN... CHE SONNO!

BRRR... PIOVE E FA FREDDO!

GROAN! E' BRUTTO DOVERSI ALZARE ALLE SEI DI MATTINA!

ED E' TRAGICO, QUANDO LO SI DEVE FARE PER UN LAVORO CHE SI DETESTA!

CHE SUPPLIZIO! OGGI È IL MIO COMPLEANNO! È LA MIA FESTA... E IO LA PASSERÒ SGOBBANDO PER LO ZIO PAPERONE COME SEMPRE!

PURTROPPO LE MIE GIORNATE SONO L'ESATTO CONTRARIO DI COME LE VORREI!

SE FOSSI RICCO... SE AVESSI UN LAVORO PIACEVOLE...

SE NON AVESSI MAI FASTIDI... MAI GUAI... YAWN!

SE TUTTO ANDASSE SEMPRE NEL MODO MIGLIORE, ALLORA SÌ CHE SAREBBE BELLO!

CHE VITA DI SOGNO SAREBBE... ZZZ...

RONF... ZZZZ...

CIP CIUP CIP! TUIT TUIT!

CIP CIP! TUIT!
YAAAWN! E' DELIZIOSO ESSERE SVEGLIA-TI DA UN ALLEGRO CINGUETTIO!

LE NOVE... E' QUASI ORA DI ALZARSI!

POSSIAMO ENTRARE?
TOC TOC

BUONGIORNO, ZIETTO! ECCO LA TUA COLAZIONE!
E IL GIORNALE!

TI SERVE ALTRO, ZIETTO?
NO! ANDATE PURE A SCUOLA!

EVVIVA! FINALMENTE E' ORA DI SCUOLA!

PER INIZIARE BENE UNA GIORNATA NON C'E' NULLA DI MEGLIO CHE UNA COSPICUA COLAZIONE...

... SEGUITA DA UNA DOCCIA RINFRE_ SCANTE!

VEDIAMO... CHE VESTITO INDOSSERÒ, OGGI?

♫ DUM DE DUM... ♫

BENE! E ORA TROTTERÒ CON CALMA AL LAVORO!

AAAH! CHE GIORNATA STUPENDA! TIEPIDA E LIMPIDA!

È LA GIORNATA ADATTA PER USARE LA MIA NUOVA AUTO!
VRRRR

UN PO' DI MUSICA...

ROAR

BUONDÌ, PAPERINO!
GRAZIE, AGENTE!
SALVE!
STOP
STOP
VIP 1

POCHI MINUTI DOPO...
AMMINISTRAZIONE IMPRESE de' PAPERONI
SONO LE DIECI! COME SEMPRE SONO IN PERFETTO ORARIO!

PER IL SIGNOR PRESIDENTE... ULTIMO PIANO!

BEN ARRIVATO, SIGNOR PRESIDENTE!
SALVE, MISS QUACK!

ECCOMI QUA! ACCENDO L'IMPIANTO STEREO...
SLAM
CLICK

...E INIZIO LA MIA ORA DI LAVORO!

C'È VOSTRO ZIO, SIGNOR PRESI-DENTE!
FATELO ENTRARE!

MI SERVE UNO DEI TUOI CONSIGLI!
DIMMI TUTTO!

POCO DOPO...
SEMPLICISSIMO: VENDI I TITOLI, MONETIZZI LE RI-SERVE, COMPRI IL 60% DEL PAC-CHETTO AZIO-NARIO...

...E CONVERTI LA PRODUTTIVITÀ ECCEDENTE NELLA MISURA DI UN 25%!
FAVOLOSO!

NIPOTE, SEI VERAMEN-TE UN GENIO! NON SO COSA FAREI SENZA DI TE!

AH... DIMENTICAVO! POCO PRIMA CHE TU ARRIVASSI HA TELEFONATO PAPERINA!

SEI INVITATO A PRANZO DA LEI, OGGI!
OKAY!

UN'ORA DOPO...
CON IL LAVORO HO FINITO ANCHE OGGI! ANDRÒ DA PAPERINA!

STOP

A CASA DI PAPERINA...
STRANO... NON VIENE AD APRIRE!
DLIN DLON DLIN DLON

UHM... È APERTO, MA È TUTTO BUIO! CHE SUCCEDE?

SORPRESA!
BUON COMPLEANNO A TEE! TANTI AUGURI A TEEE!

CHE BELLA SORPRESA! GRAZIE A TUTTI! SOPRATTUTTO ALLA NONNA PER AVER PORTATO UNA DELLE SUE TORTE SUPER!

E ORA, PAPERINO, LO ZIO PAPERONE HA QUALCOSA DA DIRTI!

È CON GRANDE GIOIA CHE TI FACCIO QUESTO DONO, NIPOTE PREDILETTO!
UNA CHIAVE D'ORO A FORMA DI DOLLARO? NON CAPISCO...

QUESTA CHIAVE D'ORO SIMBOLEG GIA IL **VERO** REGALO CHE E`... ***IL MIO INTERO PATRIMONIO!***
COOSA?

TI DONO ***TUTTO IL MIO DENARO!*** PUOI FARNE CIO` CHE TI PARE!
STAI SCHER_ ZANDO?

NO! E` TUTTO ***REALTA`!*** HO DECISO DI RITIRARMI DAGLI AFFARI! D'ORA IN POI MI RIPOSERO` IN CAMPAGNA, DA NONNA PAPERA!

SONO ***SBALORDITO!*** QUESTO E` DI SICURO IL DONO DI COMPLEANNO PIU` COLOSSALE DI TUTTI I TEMPI!

EVVIVA!
EVVIVA LO ZIO PAPE_ RINO!
EVVIVA LO ZIO PAPERINO!
CLAP CLAP

ZIO PAPERINO!
ZIO PAPERINO!

ZIOOO!
GRAZIE, GRAZIE... MA ORA BASTA CON I FESTEGGIAMENTI O MI COMMUOVERÒ!

C'È POCO DA COMMUOVERSI, ZIO! STAVI SOGNANDO!

URGH! DUNQUE ERA SOLO UN SOGNO! MA CHE ORA È? CORRETE A SCUOLA O ARRIVERETE IN RITARDO!
NOI SIAMO GIÀ TORNATI DA SCUOLA!

COOSA? HO DORMITO TUTTA LA MATTINA?

E DOVEVO ESSERE ALLE SETTE AL LAVORO DALLO ZIO!
ZOW

FORSE NON SI È ACCORTO DELLA MIA ASSENZA! NON HA TELEFONATO!

DEVO LAVARMI IN TRE SECONDI... UACK! BRUCIA!

ZOM
...VESTIRMI IN DUE SECONDI...

... FAR COLAZIONE IN UN SECONDO CON CAFFÈ - GLOP - FREDDO ...
ZOW

...E VOLARE AL LAVORO PRIMA CHE LO ZIO NOTI LA MIA ASSENZA!

ARGH! CHE TEMPACCIO!

UHM... MI VIENE IN MENTE CHE IERI SERA HO DIMENTICATO DI FARE QUALCOSA!

ECCO COSA! DI METTERE L'AUTO IN GARAGE!
SPLASH

NON PARTE! S'È SCARICATA LA BATTERIA!
CIAO, PAPERINO!

ARCHIMEDE! CAPITI A PROPOSITO! DEVI DARMI UN PASSAGGIO!

MI SPIACE, MA NON POSSO! MI ASPETTANO CON URGENZA ALL'AEROPORTO!

DEVO CONSEGNARE QUEL CONGEGNO!
EH?
CARICABATTERIE PER JUMBO JET

EHI! CHE FAI?
UN CARICABATTERIE! PROPRIO QUELLO CHE MI SERVE!

DEVO RICARICARE LA MIA BATTERIA!
NON FAR-LO! E' TROPPO...

BLAM

STA-STAVI DICENDO QUALCO-SA?
LASCIA PERDERE!
313

ANDRÒ A PIE-DI! CHE RI-TARDO!

ARRIVATO...
AHI! AHI! C'È L'AUTO DELLO ZIO! PER NON RISCHIARE D'INCONTRARLO PRENDERÒ UNA SCORCIATOIA!
AMMINISTRAZIONE IMPRESE de' PAPERONI

UGH! DOLOROSO, MA NECESSARIO!
BUM
BOMP
RESIDUI DI GOMME
TRUCIOLI DI MATITE
SPLAT
LAVORARE NEI SOTTERRANEI HA UN LATO POSITIVO...
...PUFF... QUI LO ZIO VIENE DI RADO!
CANCELLERIA
PIANO -17
SLAM
FIUUU! L'HO PASSATA LISCIA, STAVOLTA!

SE LO ZIO SAPESSE DEL MIO RITARDO, STAREI FRESCO!
GOMME
NASTRO ADESIVO
RICICLAGGIO ROTOLI DI CALCOLATRICI

AHA! E COSÌ CREDEVI DI FARLA FRANCA, VERO?

MA IO SO CHE SEI ARRIVATO ORA! TI HO VISTO GRAZIE ALLA TELECAMERA CHE HO FATTO INSTALLARE IERI!

PER PUNIZIONE LAVORERAI DIECI ORE DI FILA A PARTIRE DA ADESSO!

E NON POLTRIRE SE NON VUOI UN LAVORO... AL POLO NORD!

SLAM
GRUNT! E NON SI È NEPPURE RICORDATO CHE È IL MIO COMPLEANNO!

NIENTE MALE COME FESTA! MURATO VIVO E CON UNA TELE-CAMERA PUNTATA ADDOSSO!

CHE LAVORO SQUALLIDO! CHE GIORNATACCIA! CHE VITA GRAMA!

MOLTO PIU' TARDI...
MAI UN GIORNO LIETO! HO SEMPRE QUALCHE GUAIO! E ANCHE OGGI...

...OGGI... OGGI È IL MIO COMPLEANNO E AVEVO PROMESSO A PAPERINA DI ANDARE A PRANZO DA LEI!

PIANO -17
ZOW
LO ZIO ME LA FARÀ PAGARE, MA DEVO ANDARE!

PAPERINA SARÀ INFURIATA! DOVEVO ESSERE DA LEI DUE ORE FA!
PIANI SOTTERRANEI

PURTROPPO LEI NON TOLLERA I RITARDI ALTRUI!

A CASA DI PAPERINA...
SPERIAMO IN BENE!

MOSTRO! TI SEI DEGNATO DI VENIRE, FINALMENTE?
SPLAT

PECCATO PERÒ, CHE LA TORTA SI SIA ORMAI AFFLOSCIATA...

...E CHE L'ARROSTO RIPIENO SIA BRUCIATO A FORZA DI SCALDARLO!

SPARISCI! NON VOGLIO VEDERTI MAI PIU'!
SLAM

BE', E' ANDATA BENE! MI HA SOLO AGGREDITO COME UNA TIGRE!

LO ZIO INVECE MI ASSALIRÀ COME UN COBRA...

... SE NON TORNO SUBITO AL LAVORO!
ZOW

PIANO -17
ZOW

SONO SEMPRE QUI, ZIO!
VEDO! E ORA CI RESTERAI 15 ORE!
ZIP

AH, SE I NIPOTINI STAMATTINA MI AVESSERO LASCIATO CONTINUARE IL BELLISSIMO SOGNO CHE STAVO FACENDO!

VORREI DORMIRE E RIASSAPORARE ANCORA LA VITA DI SOGNO... LA VITA IDEALE...

...DOVE TUTTO FILA SEMPRE NEL MIGLIORE DEI MODI E NON ESISTONO I GUAI... ZZZ...

CIAO!
VI SALUTO! VADO A STABILIRMI ALLA FATTORIA DELLA NONNA! VENITEMI A TROVARE QUALCHE VOLTA!
CIAO! E ANCORA GRAZIE!
CIAO!

ZIO, COSA FARAI ORA CHE SEI RICCHISSIMO?
GIUSTO! CHE PROGETTI HAI?

PRIMA VI DICO COSA NON FARÒ!

NON FARÒ COME LO ZIO PAPERONE! CIOÈ, NON MI OCCUPERÒ PERSONALMENTE DI TUTTE LE MIE INFINITE IMPRESE FINANZIARIE!

IO LASCERÒ TUTTA L'AMMINISTRAZIONE DEI MIEI CAPITALI AL PERSONALE DIPENDENTE!
MA COSA FARAI, TU?

ASSOLUTAMENTE NULLA! VIVRÒ DI RENDITA SENZA MAI PIÙ LAVORARE!
CHE BELLO! COSÌ POTREMO ANDARE TUTTI I GIORNI IN GITA DA QUALCHE PARTE!

UN MOMENTO, RAGAZZI! ORA VOSTRO ZIO È L'INDIVIDUO PIÙ RICCO DEL MONDO!

E TU, CHE ORA SEI COSÌ IMPORTANTE, PUOI E DEVI CONCEDERTI SVAGHI COSTOSI E PRESTIGIOSI!

E' VERO! PER COMINCIARE, DOMANI COMPRERÒ UNA NAVE...

... E PARTIREMO TUTTI PER UNA SUPER CROCIERA INTORNO AL MONDO!

QUESTO È PARLARE! È UN'IDEA SEMPLICEMENTE FAVOLOSA!

IMMAGINO L'INVIDIA DELLE AMICHE!
BLEAH! LO TEMEVO! SI SONO MONTATI LA TESTA!

L'IMPROVVISA RICCHEZZA PUÒ GIOCARE BRUTTI SCHERZI A CERTA GENTE!

BUON VIAGGIO! NOI NON CI SENTIAMO COSÌ IMPORTANTI E PREFERIAMO ANDARE ALLO STAGNO A GUARDARE LE RANE!

QUALCHE GIORNO DOPO...
E' STATO MOLTO CARINO, DA PARTE TUA DARE ALLA NAVE IL MIO NOME! POTRESTI FARLA VERNICIARE TUTTA COLOR ROSA?
CERTO CHE POSSO! LO DIRÒ AL CAPITANO!
PAPERINA

PERCHÈ HAI SMESSO DI PESCARE? TI DIVERTIVI COSÌ TANTO I PRIMI GIORNI DI CROCIERA!
TROPPO FACILE! I PESCI ABBOCCANO APPENA IMMERGO LA LENZA! NON C'È GUSTO!

E POI LI HO PRESI COSÌ GROSSI CHE IL CAPITANO NON SA PIÙ DOVE METTERLI!

DOPO QUALCHE GIORNO DI SERENA CROCIERA...
GUARDA CHE PANORAMA! NON È INCANTEVOLE?

DA UN PEZZO NON VEDO ALTRO CHE PAESAGGI INCANTEVOLI! MA NON MI INTERESSANO PIÙ GRAN CHE!

CHE FAI? GIOCHI A CARTE DA SOLO?

FACCIO **SOLITARI**! PERÒ MI RIESCONO TUTTI SUBITO! **NON C'È GUSTO**!

QUESTA CROCIERA COMINCIA AD **ANNOIARMI**! SPERO DI DIVERTIRMI UN PO' ALMENO DOMANI, A **MONTETARLO**!

A MONTECARLO...
PAPERINO 1
BENTORNATO A BORDO! TI SEI DIVERTITO AL CAMPO DI GOLF?

NO! FACCIO SEMPRE BUCA AL PRIMO COLPO...

...E COSÌ MI ANNOIO!
TI DISTRARRAI ALL'OPERA LIRICA! HO PRENOTATO I POSTI PER LA PRIMA DI STASERA!

OPERA LIRICA? GROAN... PREFERIREI VEDERE I CARTONI ANIMATI ALLA TIVÙ!

SCIOCCHEZZE! DEVI ABITUARTI ALLA VITA DELL'ALTA SOCIETÀ!

PASSA ALTRO TEMPO...
ACQUISTARE IN ITALIA QUESTA VILLA DEL SETTECENTO E FAR-LA TRASPORTARE QUI AD ACAPULSO E' STATA UN'IDEA FA-VO-LO-SA! NON TROVI, PAPERINO?

DOMANI SARÒ A UN RICEVI-MENTO! INVITERÒ LA CREMA DEL-L'ALTA SOCIE-TÀ E LA STAMPA!

TUTTI DEVONO VEDERE QUAN-TO SIAMO RICCHI E FE-LICI!
SPORT

RICCO E FELICE, IO? SONO RICCHISSIMO, MA FELICE... NON DIREI PROPRIO!
PAPERSERA

PAPERINA E' CAMBIATA! IL LUSSO E LA RICCHEZZA L'HANNO RIEMPI- TA DI SUPERBIA E DI SNOBISMO!

E IO... HO TUTTO QUELLO CHE UNA VOLTA DESIDE- RAVO! DOVREI ESSERE CONTENTO, E INVECE...

...NEPPURE LA MIA COLLEZIONE DI MOTOSCAFI RIESCE ORMAI A ENTUSIASMARMI!

NEGLI ULTIMI TEMPI TUTTO MI ANNOIA SEMPRE DI PIU`!

E INOLTRE... STO INGRASSANDO!

FORSE SONO MALATO! SARA` MEGLIO CONSULTARE UN MEDICO!

E COSI'...
DALLA MIA VISITA NON RISULTA ALCUNA MALATTIA!

MA, DITE... AVETE AVUTO QUALCHE PREOCCUPAZIONE DI CARATTERE ECONOMICO O DI LAVORO, ULTIMAMENTE?
NON HO PREOCCUPAZIONI DI QUEL TIPO DA MOLTO TEMPO! E SONO COSI` RICCO CHE NON NE AVRO` MAI!

AVETE AVUTO **GUAI** O **PROBLEMI** DI ALTRO TIPO?
NESSUNO!

MAI NESSUN DISASTRO, ANCHE PICCOLO? MAI IL MINIMO IMPREVISTO?
MAI!

ALLORA È TUTTO CHIARO!

LA VOSTRA VITA È *TROPPO COMODA E FACILE!*

LE CONSEGUENZE SONO: ECCESSO DI RILASSAMENTO, NOIA, APPANNAMENTO FISICO E MENTALE!

NESSUNA MEDICINA PUÒ ESSERVI D'AIUTO! RASSEGNATEVI!

DUNQUE E` COSÌ... E NON POSSO FARCI NULLA!

SONO CONDANNATO! NON MI ACCADONO PIU` DISASTRI DA AFFRONTARE O GUAI CON CUI LOTTARE!

CIO` SIGNIFICA CHE LE COSE CONTINUERANNO A PEGGIORARE!

TV
NON SONO PIU` IO, NON MI RICONOSCO!

QUESTA **VITA IDEALE** SARA` LA MIA **ROVINA**!
CRASH

SVEGLIA! DORMI-GLIONE!
EH?COSA?
BAM

ZIO PAPERONE! MA ALLORA... STAVO ANCORA SOGNANDO?
GIÀ!

CARO ZIETTO! GRAZIE PER AVERMI SVEGLIATO! STAVO FACENDO UN SOGNO ORRIBILE!

VISTO? DORMO INVECE DI LAVORARE! E CON I TUOI NASTRI CI GIOCO!

DEVI PUNIRMI! SPEDISCIMI A LAVORARE NELLA TERRIBILE GIUNGLA AMAZZONICA, O NEL DESERTO AUSTRALIANO!

GRUNT! AVREI VOGLIA DI MANDARTI IN POSTI SIMILI... MA MI SONO RICORDATO CHE OGGI È IL TUO COMPLEANNO!

E OGGI, INVECE DI FARTI GLI AUGURI, TI HO TRATTATO COSÌ... MI SONO COMPORTATO PROPRIO MALE!

MA ORA VOGLIO RIMEDIARE: TI DO UN GIORNO DI RIPOSO PAGATO! CONTENTO?
COOSA?

MAI E POI MAI! ANDIAMO!

PENSACI BENE! DEVI TROVARE UN LAVORO SPAVENTOSO PER ME!
MA CHE TI PRENDE?

VOGLIO PARTIRE SUBITO! PRENDIAMO LA TUA AUTO E ANDIAMO ALL'AEROPORTO!
CREDO DI CAPIRE: O SEI USCITO DI SENNO...

...OPPURE TI STAI BURLANDO DI ME! MA FAI UN GROSSO ERRORE PERCHÈ IO NON SCHERZAVO!
LO SO! LO SO! IL FATTO È CHE IO NON VOGLIO GIORNI DI RIPOSO... MA MESI DI GUAI!

ALLORA? HAI DECISO DOVE SPEDIRMI?
E VA BENE! QUESTA VOLTA TE LA SEI VOLUTA TU!
ROAR

TI MANDERÒ AL POLO NORD! SARÀ IL LAVORO PIÙ BRUTTO CHE TU ABBIA MAI...

ALL'AEROPORTO...
PRENDO QUESTO VECCHIO AEREO! COSÌ GIÀ DURANTE IL VIAGGIO POTRÒ GUSTARMI QUALCHE GUAIO CATASTROFICO! SONO QUELLI CHE PREFERISCO!
AEROLINEE DE PAPERONI
RINUNCIO A CAPIRTI!
FINE

WALT DISNEY
PAPERINO E IL BRACCIALE DELLA VERITÀ
MJ-P308

SEI GENTILE AD AIUTARCI A FARE I COMPITI, PICO!
E' UN PIACERE, RAGAZZI!

LA COMPITOLOGIA E' UNA DELLE MIE TANTE SPECIALITA' E...

URGLE!
SBAM

ZIO, CHE SUCCEDE?

QUALCOSA NON VA?
QUALCOSA? TUTTO!

LO ZIO PAPERONE MI HA AFFIBBIATO UNO DEI SUOI SOLITI LAVORETTI, PROMETTENDOMI UNA SUCCOSA RICOMPENSA...

... E GUARDATE CHE COSA MI HA RIFILATO!
GULP! UN SUCCO DI FRUTTA!

SGRUNT! LO ZIONE MI RAGGIRA SEMPRE!

UNA VOLTA MI PROMISE UNA FAVOLOSA RICOMPENSA E... MI DIEDE UN LIBRO DI FAVOLE! E UN'ALTRA VOLTA...

...MI PROMISE UN SACCO DI DENARO, E MI DIEDE SOLO IL SACCO!

MAI UNA VOLTA CHE SI COMPORTI CORRETTAMENTE!
UHM...

LE TUE DISAV-
VENTURE MI RI-
CORDANO QUEL-
LE DI FARLOK...

...UN ANTICO RE DEL-
L'ATTUALE CLIMBIA!

SECONDO LA LEGGENDA, RE
FARLOK ERA PIUTTOSTO
INGENUO...

...COSI' I SOVRANI DELLE
TERRE CONFINANTI...

"...LO RAGGIRAVANO PUNTUALMENTE!"
IL RE SI E' FATTO BIDONARE DI NUOVO! CI PORTERA'...

...ALLA ROVINA!
IL POPOLO E' SCONTENTO DI ME!

SOB!

CE LA METTO TUTTA PER ESSERE UN BUON RE...

...MA I MIEI COLLE-GHI SONO FURBI E SLEALI!

SIGH! CHE POS-SO FARE?

CHIEDIAMO CONSI-GLIO AL MAGO DEL-LA MONTAGNA!
OTTIMA IDEA!

"COSÌ, SCALA-TO IL PICCO IRTO..."
PANT
PANT

"...RE FARLOK E IL CONSIGLIERE RAGGIUNSERO IL MAGO!"
UHM... HO CAPITO IL PROBLEMA...

...E HO LA SOLUZIONE!

IL BRACCIALE DELLA VERITA'!

INDOSSALO, E NESSUNO POTRA' RACCONTARTI FROTTOLE!
GRAZIE, MAGO!

"IL BRACCIALE FUNZIONÒ ALLA GRANDE! COSÌ RE FARLOK ASSICURÒ AL SUO POPOLO GRANDE PROSPERITÀ!"

"E QUANDO NON NE EBBE PIÙ BISOGNO, SECONDO GLI ACCORDI, RESTITUÌ IL BRACCIALE AL MAGO..."

"...NEL CUI ANTRO, SECONDO LA LEGGENDA, SI TROVEREBBE TUTTORA!"

UAO! QUEL BRACCIALE RISOLVEREBBE I MIEI PROBLEMI!

LO ZIO PAPERONE NON POTREBBE PIU' TURLU-PINARMI!

SOB! PURTROPPO, PERO', SONO AL VER-DE... E LA CLIMBIA E' LONTANA!
UHM...

L'ACCADEMIA DELLA CULTURA MI METTE A DISPOSIZIONE DEI FONDI A SCOPO DI STUDIO...

LI USERETE VOI, PER SCOPRIRE SE LA LEGGENDA E' VERA!
SEI GRANDE, PICO!

"COSÌ, QUALCHE GIORNO DOPO..."

...PAPERINO E QUI, QUO QUA GIUNGONO NEL-LA CLIMBIA...
PER PRIMA COSA, CI SERVE UN MEZZO DI TRASPORTO!

DA QUESTE PARTI, USIAMO SOLO I MULI!
NOLEGG

E IO HO I MIGLIORI!
UHM... OKAY!

VE LI NOLEGGIO A **CENTO DOLLARI** L'UNO AL GIORNO!
GULP! CARUCCI, EH?

PIU' TARDI...
SGRUNT! QUEL FURBASTRO MI HA IMBROGLIATO! QUESTO MULO NON VUOLE SAPERNE DI PROSEGUIRE!

SGRUNT!

E DAI! MUOVI LE ZAMPE!

AHI! NON INTENDEVO COSI'!
STONK

SBONK

COME VA, ZIO?
GRRR! COME AL SOLITO!

MA SE TROVO QUEL BRACCIALE...

... NON MI INGANNERA' PIU' NESSUNO! ANDIAMO!

PIU' TARDI...
ECCO IL PICCO IRTO!
GULP! MAI NOME FU PIU' AZZECCATO!

ANF! PANT! NON POTEVA CAPITARMI UN MAGO CON LE VERTIGINI?

GIUNTI SULLA CIMA...
CI SIAMO, FINALMENTE!

ECCO LA GROTTA DESCRITTA DA PICO!

A ME IL BRACCIALE!

AAA
GASP! LO ZIO HA TROVATO GUAI!

GAMBE, RAGAZZI!

AAARGH!

AIUTOOO!
GROWL!

PRESTO! DOB-
BIAMO DISTRAR-
RE L'ORSO!

QUESTO BARATTOLO DI MIELE E' QUELLO CHE CI VUOLE!

GUARDA, AMICO! E' BUONO E PROFUMATO!

SLURP!
MENTRE E' OCCUPATO A MANGIARE...

... SALVIAMO LO ZIO!

SIAMO FORTUNATI! DOPO LO SPUNTINO, L'ORSO SI E' APPISOLATO!

APPRO-
FITTIAMONE!

UHM... NON
VEDO NIENTE!

GLAB! QUELLA DEL BRACCIALE DELLA VERITA' E' SOLO UNA LEGGENDA!

ASPETTA A DIRLO!
C'E' UNA NICCHIA COPERTA DALLE STERPAGLIE!

UNA CASSETTA METALLICA! FORSE...

UAO! IL BRACCIALE DELLA VERITA'!

TORNIAMO AL VIL-
LAGGIO! HO GIUSTO
UN'IDEA...

"...PER COLLAUDARLO!"
EHI, TU!

UNO DEI MULI CHE
MI HAI NOLEGGIA-
TO ERA DIFET-
TOSO!
E ALLORA?

SCOMMETTO CHE STAI
PER INGANNARE AN-
CHE QUEST'ALTRO
CLIENTE!

E' VERO! I MIEI MULI COSTANO TROPPO, E HANNO UN PESSIMO CARATTERE!
COSI', EH?

MI RIVOLGERO' A UN NOLEGGIATORE PIU' ONESTO!
GULP!

EH, EH! IL BRACCIALE FUNZIONA, RAGAZZI!

GIORNI DOPO, A PAPEROPOLI...
ZIONE IN ARRIVO!

CARO BRACCIALE, FAI IL TUO DOVERE!

EHILA'! PASSAVO DI QUI E SONO VENUTO A FARVI UNA VISITINA!

E' SOLO UNA VISITA, O C'E' DELL'ALTRO?
!

EHM... PER LA VERITA', SONO VENUTO A PROPORTI UN LAVORETTO!
AH!

DOVRESTI FARE UN PIACEVOLE VIAGGETTO A SUD...

PRECISAMENTE, NELLA **FORESTA AMAZZONICA!**
UACK!

SGURGLE!
THUD

GLAB! CHE COSA MI HA PRESO? GLI HO DETTO LA VERITA'!

GRAZIE, BRACCIALE!

LO TERRO' SEMPRE AL POLSO...

...COSI' INTORNO A ME TRIONFERA' LA VERITA'!

EH, EH! DA OGGI, INCOMINCIA UNA NUOVA VITA!

FESTEGGERO' CON UN PO' DI FRUTTA!

CIAO, PAPERINO! IL TUO CONTO E' PIUTTOSTO LUNGHETTO!
$ 1

QUANDO PENSI DI SALDARLO?

MAI!

GRRR! ALLORA ECCOTI LE MELE... TUTTE BACATE!
UACK!

EHI, PAPERINO! QUANDO SALDI QUEL VECCHIO DEBITO?

NON PAGHERO' MAI NEANCHE UN CENT!
SGURGLE!

AH! E' COSI'?
DIAMOGLI UNA LEZIONE!
GASP!

FERMATI!
PAGA I DEBITI!
NON RIUSCIRAI A SFUGGIRCI!
AAAH!

SGRUNT! DOVE SARA' ANDATO?

CERCHIAMO DI LA'!

FIUUU'! LI HO SEMINATI!

NON CAPISCO CHE COSA MI E' PRESO!

CIAO, PAPERINO!
CIAO, PAPERINA!

TI PIACE IL MIO CAPPELLINO NUOVO?
EHM...

SEMBRA UN CARCIOFO!
CHE COSA?!

GRRR! TI INSEGNO IO LA BUONA CREANZA!
SQUACK!
SBONK

CALMATI, PAPERINA! IN FONDO, HO DETTO SOLTANTO... LA VERITA'!
AAAH!

SEI UN MOSTRO!

EHI! ECCOLO!

SIGH! COME POTEVO IMMAGINARE CHE IL BRACCIALE AVREBBE FATTO DIRE LA VERITA' ANCHE A ME?
FINE

PAPERINO
E IL DISASTRO
SOCIAL
WALT DISNEY
GESTIRE NETWORK E SITI WEB DELLA PdP HOLDING RICHIEDEREBBE FIGURE PROFESSIONALI MOLTO COSTOSE...

...SE AL MOMENTO NON FOSSE COSTRETTO A OCCUPARSENE PAPERINO! GRATIS, S'INTENDE!
FINO A QUALCHE GIORNO FA ERO ESPERTO SOLO DI VIDEOGIOCHI!...MA ORA CONOSCO LE RETI AZIENDALI DELLO ZIONE COME LE MIE TASCHE!
IP-3114-4

BASTA CHE NON SIANO ALTRETTANTO VUOTE!
AHIO!
BONK

PERCHE` OGNI VOLTA CHE DEVI DIRMI QUALCOSA USI IL BASTONE AL POSTO DELLA PUNTEGGIATURA?
E` PER RIPORTARTI ALLA REALTA`!

E LA REALTA` E` CHE SONO IN PARTENZA PER L'ISOLA DI BALUBBAH, NELL'OCEANO PACIFICO, ALLA RICERCA DEL TESORO DEI CANGURI VOLANTI, UNA MISTERIOSA POPOLAZIONE DI ORIGINE ALIENA CHE...
IO NON MI MUOVO DA QUI!

E CHI TI HA CHIESTO DI VENIRE?
AHIA!
RI-BONK

TU DEVI RESTARE AL DEPOSITO A CURARE LE MIE RETI AZIENDALI!
COM'E` DURA, LA REALTA`!

INOLTRE DOVRAI OCCUPARTI DELLE MIE COMUNICAZIONI PERSONALI: E-MAIL, MOVIMENTI DI BORSA, VIDEOCONFERENZE...
SICURO DI VOLERMI AFFIDARE UN COMPITO COSÌ DELICATO?

PER NIENTE... MA NON C'ERA NESSUN ALTRO DISPONIBILE!
AH, BE', GRAZIE DELLA CONSIDERAZIONE!

PORTERÒ CON ME UN TELEFONO SATELLITARE! ATTIENITI ALLE ISTRUZIONI CHE TI DARÒ!
E SE MI RIFIUTASSI?

C'È DA CHIEDERLO?
NO, PER CARITÀ! NE HO GIÀ AVUTA ABBASTANZA DI REALTÀ PER OGGI!

SEMPRE DRITTO PER 9674 CHILOMETRI! POI, ARRIVO!
VIA
STOP

COSÌ...
SGRUNT!

LO ZIASTRO A DIVERTIRSI AL MARE, E IO QUI A SGOBBARE!

E COME SE NON BASTASSE, DEVO STARMENE QUI DI NOTTE PER RICEVERE LE SUE CHIAMATE, PERCHÈ LAGGIÙ C'È UN FUSO ORARIO DIVERSO!
BBIIIP BRIIIR

ECCOMI! L'AMMINISTRATORE DELEGATO DELLA RAPECOTTE S.P.A. HA RISPOSTO ALLA MIA E-MAIL?
CLICK

SÌ! CONSIDERERÀ LA TUA OFFERTA SOLO SE ACCETTI UNA COMPARTECIPAZIONE NELLA NUOVA SOCIETÀ DI GAMBERI IN SALMÌ!
BLEAH! E VA BENE!
SIETE ARRIVATI A DESTINAZIONE!

INVESTIRÒ 20 MILIONI... DISCUTEREMO IN SEGUITO SULLA RIPARTIZIONE DEGLI UTILI!
GLIELO COMUNICO!
RAPIDCOITE SPA
TAP TAP TARATAP

P&P SOFTWARE
ALTRE NOVITÀ?
BRUTTE NOTIZIE DALLA P.d.P. SOFTWARE!
SPA

LE VENDITE DI ANTIVIRUS SONO AI MINIMI STORICI!
TSK! CON TUTTO QUELLO CHE PAGO I COSIDDETTI "CREATIVI" PER STUDIARE DELLE STRATEGIE DI MARKETING!

SPEDISCI UNA BASTONATA VIRTUALE AI DIRIGENTI! E NON COMBINARE PASTICCI!
D'ACCORDO... A PIÙ TARDI!

CIAO, ZIETTO!
QUI C'È QUALCHE PANINO!
GRAZIE, RAGAZZI! SONO SEDICI ORE CHE NON MI STACCO DAI COMPUTER!

LO SAPPIAMO BENE!
GNAM! COME SAREBBE?

E' TUTTO IL GIORNO CHE TI VEDIAMO SCRIVERE E CONDIVIDERE SU FACEDUCK!
E ALLORA? CHOMP...

NON E' RISCHIOSO ACCEDERE AI SOCIAL NETWORK DAL DEPOSITO?
QUESTI COMPUTER CONTENGONO DEI DATI SENSIBILI!
AVRO' PUR DIRITTO A UN PO' DI SVAGO!

E POI LO ZIONE E' IN MEZZO AL PACIFICO A GIOCARE AL PIRATA...NON LO SAPRA' MAI!

BAH!
SPERIAMO BENE!

faceduck
PAOLINO PAPERINO
DIRIGENTE PR...
SALVA MODIFICHE
ANNULLA
TAP-TARATAP

PAOLINO PAPERINO
DIRIGENTE PRESSO PDP HOLDING
SALVA MODIFICHE
ANNULLA
CLICK

DIRIGENTE PRESSO PDP HOLDING
ECCO FATTO!

COSA ME NE FACCIO DELLA RESPONSABILITA' SU TRE ETTARI CUBICI DI DENARO, SE NON POSSO ALMENO VANTARMENE?
PAOLINO PAPERINO
DIRIGENTE PRESSO PDP HOLDING

PRINCIPALE! GUARDATE QUI!

IL NIPOTE DEL TACCAGNO HA AGGIORNATO IL SUO PROFILO FACEDUCK!
"DIRIGENTE"?

SIGNIFICA CHE QUEL SEMPLICIOTTO HA ACCESSO A INFORMAZIONI RISERVATE E ...SUCCULENTE!
EH! EH!

E TU RIMETTITI AL LAVORO! NON TI PAGO PER STARE SUI SOCIAL NETWORK!
AHIO!

LO ZIO PAPERINO E' SEMPRE PIU' PRESENTE SU FACEDUCK!
SCUOLA

CONTINUA A INTASARLO DI FOTO DELLE VACANZE...
faceduck

...VIDEO DI GATTINI...
faceduck
PLAY

...E POLEMICHE INUTILI!
fd
GASTONE PAPERONE
"CHE NOIA LA SERIE TRUE DUCK!"
PAOLINO PAPERINO
"E' UN CAPOLAVOR
E CHI NON E' D'ACCOR
E' UNA CAPRA!"

SPERIAMO CHE NON SI DISTRAGGA DAL LAVORO, ALTRIMENTI LO ZIONE SI ARRABBIERÀ!

IO IL TESORO L'HO TROVATO! TU, PIUTTOSTO? STAI COMBINANDO GUAI CON I MIEI AFFARI?
PER NIENTE!

È TUTTO SOTTO CONTROLLO, NON TI PREOCCUPARE!

ULP! TI RICHIAMO FRA POCO! SENTO DEI RUMORI SOSPETTI!
FRUSH

faceduck
EH! EH! COSI' POSSO TORNARE A GIOCARE A CANASTA ONLINE!
CANASTA ON LINE

fd
DEVO FAR SAPERE A QUEI PIVELLI CHE POSSO BATTERLI QUANDO MI PARE!

UH? UN MESSAGGIO PRIVATO!
CANASTA ON LINE

JOHN.D. ROCKERDUCK
CLICK
CONGRATULAZIONI, DIRIGENTE! QUALI NOVITA' BOLLONO IN PENTOLA ALLA P.d.P?

SGRUNT! IL RICCASTRO NUMERO 2 CREDE CHE IO SIA COSI' INGENUO DA SPIFFERARE GLI AFFARI DELLO ZIONE!

ORA PERO' LO AGGIUSTO IO! GLI RISPONDERO' CHE ...UH?

NON SONO NELLA SITUAZIONE IDEALE PER TELEFONARE, MA E' URGENTE! DEVI MANDARE UNA MAIL AL SINDACO CIRCA UN APPALTO!
GRUNT!

TROVI TUTTE LE INFORMAZIONI NELLA CARTELLA DELLE RELAZIONI CON IL COMUNE!
OKAY!

POI DEVI ACQUISTARE 500 AZIONI DELLA GATTISTRAMBI OIL!
SARA' FATTO!

DUNQUE, RICAPITOLANDO: ACQUISTARE AZIONI IN BORSA, SCRIVERE AL SINDACO, RISPONDERE A ROCKERDUCK...

...E POI POSSO TORNARE ALLA CANASTA!

PRIMA DEVI FARE UNA COSA URGENTISSIMA!
PAPEROGA?! COME HAI FATTO A ENTRARE SENZA CONOSCERE IL CODICE DI ACCESSO?

HO DIGITATO LA PRIMA PAROLA CHE MI E' VENUTA IN MENTE: BALABU'!
TSK! SEI INCREDIBILE!

DEVI ASSOLUTAMENTE CARICARE SU FACEDUCK QUESTA FOTO DIVERTENTISSIMA... IO NON SO COME SI FA, MA TU NE PUBBLICHI A VAGONATE!
FAMMI VEDERE!

LO ZIONE CHE... STARNUTISCE?
ESATTO! L'HO SCATTATA ALLA MIA FESTA DI COMPLEANNO!

TI RICORDI? IL BUFFET ERA TUTTO A BASE DI MIELE!
COME NO! E' FINITA CHE SIAMO STATI ATTACCATI DA UNO SCIAME DI API INFEROCITE!

NON PRIMA DI ESSERE TRAVOLTI DA UN BRANCO DI ORSI FAMELICI, NATURALMENTE!
BE', QUESTA È LA FOTO MIGLIORE DELLA FESTA, NONCHÉ L'UNICA!

LO ZIONE ERA ALLERGICO AL MIELE DI CARCIOFO E AVEVA COMINCIATO A STARNUTIRE!
SÌ, SÌ... PERÒ ORA HO DA FARE!

DEVO MANDARE UNA E-MAIL AL SINDACO, ACQUISTARE AZIONI IN BORSA, RISPONDERE A ROCKERDUCK, GIOCARE A CANASTA...
LO FACCIO IO!

TU PUBBLICA LA FOTO! CI PENSO IO A MANDARE UNA CANASTA A ROCKERDUCK, ACQUISTARE AZIONI DEL SINDACO...
NO, NO!

LA CARICO SUBITO, BASTA CHE POI TU TE NE VADA!
CI MANCHEREBBE!

POI RICORDATI CHE DEVI ACQUISTARE LE E-MAIL, MANDARE UN CANESTRO IN BORSA...
SÌ, SÌ...

NO, NO! INSOMMA, VUOI STARE ZITTO?
VOGLIO SOLO AIUTARTI!

FOTO CARICATA! ORA FAMMI IL FAVORE DI SGOMMARE!
COME DESIDERI!

MA NON DIMENTICARTI DI MANDARE UN'AZIONE AL SINDACO ROCKERDUCK, ACQUISTARE UNA BORSA DA PALLACANESTRO E...
ARGH!

OKAY, CON CALMA... QUESTA E' PER ROCKERDUCK: "IMPICCIONE..."
TAP TAP

TAP TAP TARATAP
FATTO TUTTO! SPERIAMO CHE QUEL CATACLISMA AMBULANTE DI PAPEROGA NON MI ABBIA FATTO SBAGLIARE QUALCOSA!
TAP TARATAP
STOP!
BAU!

INFATTI...
SIGNOR SINDACO! E' ARRIVATA LA RICHIESTA DI DE' PAPERONI PER L'APPALTO DEL NUOVO MUNICIPIO!
BENE!
DUCKBURG

SI TRATTA DI UNA E-MAIL UN PO' STRANA... VE L'HO STAMPATA!
GRAZIE!

DA: <PAPERON DE' PAPERONI> IMPICCIONE! DA ME NON SAPRAI NULLA!
?!

LUSKY! VIENI A VEDERE LA RISPOSTA DI PAPERINO SU FACEDUCK!
RK

"PER L'APPALTO DEL NUOVO MUNICIPIO, LA P.d.P. BUILDINGS CHIEDE DUE MILIONI DI DOLLARI"!
NON SO PERCHE' QUEL GONZO MI STIA PASSANDO INFORMAZIONI TANTO PREZIOSE, MA MI TORNERANNO UTILI!

NON MI ASPETTAVO CHE IL NIPOTE DEL **TACCAGNO** TRADISSE COSÌ APERTAMENTE SUO ZIO!
BAH! MAGARI HANNO LITIGATO!

OH, NO! HO SCAMBIATO TRA LORO I MESSAGGI PER ROCKERDUCK E PER IL SINDACO!

TREMENDO SOSPETTO... DEVO CONTROLLARE COSA HO SCRITTO NEL GRUPPO DI **CANASTA**!

CANASTA On LinE
PAOLINO PAPERINO
ACQUISTIAMO 500 AZIONI DI GATTISTRAMBI OIL

E QUESTO CHE COSA C'ENTRA CON LA CANASTA?

SE UN **DIRIGENTE** DELLE AZIENDE DI PAPERONE COMPRA QUELLE AZIONI, VUOL DIRE CHE STANNO PER SALIRE!

BORSA DI PAPEROPOLI
STA ACCADENDO QUALCOSA DI ASSURDO!

MEZZA PAPEROPOLI STA ACQUISTANDO AZIONI DELLA GATTI-STRAMBI OIL!

PdP HOLDING: SCHIAPPE! VI BATTO A CANASTA QUANDO VOGLIO!
MA LA COSA PIU' STRANA E' QUEL MESSAGGIO DA PARTE DELLA PdP!
MI SA CHE DE' PAPERONI HA BISOGNO DI UNA VACANZA!

ARGH! HO SCAMBIATO ANCHE QUESTE DUE COMUNICAZIONI!

LA FOTO DELLO ZIONE... D-DOVE L'AVRO' CARICATA?

PRODUCT PLACEMENT
CONSULTING
STAR & LORD
ADVERTISING
TRIP
STARS
MEETING
CHE STRANO, HO UN **BRIVIDO** ALLA SCHIENA! COME UNA SENSAZIONE DI **CATASTROFE IMMINENTE!**

EPPURE SONO TORNATO A PAPEROPOLI CON UN TESORO, E... MA PERCHE` STANNO TUTTI COL NASO PER ARIA?

CHE COSA GUARD...

PAPERINOOO!!!

AIUTOOOOO!
LASCIA CHE TI DIMOSTRI LA MIA **GRATITUDINE**! PER CAUSA TUA MI SONO INIMICATO IL SINDACO, ROCKERDUCK HA FATTO UN'OFFERTA MIGLIORE E SI E' AGGIUDICATO L'APPALTO...
ALT!

... SONO DIVENTATO LO ZIMBELLO DELLA BORSA, MEZZA PAPEROPOLI HA ACQUISTATO AZIONI GATTISTRAMBI, IL CUI VALORE E' CROLLATO...
PANT!

... E COME SE NON BASTASSE, L'ALTRA META' DELLA CITTA' CHE NON ERA DAVANTI A UN COMPUTER HA VISTO LA MIA GIGANTOGRAFIA IN PIAZZA CON UN CAPPELLO BUFFO E UNA FACCIA DA **BABBEO**!
ASPETTA, ZIONE!
ABBIAMO AVUTO UN'IDEA!
VIA!
STOP!

PERCHE' TU NON ... E POI ... E INFINE ...
UHM ...

PER ORA SOSPENDERO' I **RINGRAZIAMENTI**! MA NON TI ALLONTANARE TROPPO, POTREI CAMBIARE IDEA!
GLOM!

A CHIUNQUE PUÒ CAPITARE DI PRENDERE UN VIRUS! PERFINO AL PAPERO PIÙ RICCO DEL MONDO!
PER QUESTO ABBIAMO CREATO UN ANTIVIRUS IN GRADO DI PROTEGGERE ANCHE COMPUTER SOFISTICATI COME QUELLI DI PAPERON DE' PAPERONI!
MA ALLORA ERA UNA MOSSA DI MARKETING! ASTUTO E AUTOIRONICO!

LE VENDITE DELL'ANTIVIRUS P.d.P. STANNO SALENDO VELOCEMENTE!
SIETE RIUSCITI DOVE I MIEI ESPERTI HANNO FALLITO!

E ZIO PAPERINO?
HA PROMESSO DI STARE LONTANO DAI SOCIAL NETWORK PER UN PO'...

"...E PAPEROGA LO STA... AIUTANDO!"
ECCO IL SOCIAL NETWORK DELLA VITA REALE! TI HO PORTATO MIGLIAIA DI DIAPOSITIVE DI CUCCIOLI E UN GRUPPO DI PERFETTI SCONOSCIUTI CON CUI POLEMIZZARE QUANTO TI PARE!
SGRUNT!
FINE

LE AVVENTURE CONTINUANO CON LE PIÙ BELLE STORIE DI PAPERINO!

CON DUE STORIE INEDITE E...

Con la special
PAPERINO E L'EPOPEA A SCOPPIO RITARDATO

Paperino & Paperoga agenti P.I.A. in...
OPERAZIONE CANESTRO

Miliardario felice, con
ZIO PAPERONE E IL DONO DAL CIELO

DAL 30 MARZO IN EDICOLA, FUMETTERIA E SU PANINI.IT

PAPERINO 513 - MARZO 2023

Panini Comics

Editore **PANINI SpA**
V.le Emilio Po, 380 - 41126 Modena
P.I.IT02796411201

Amministratore delegato
Aldo H. Sallustro
Direttore Mercato Italia
Alex Bertani
Direttore Publishing
Marco M. Lupoi

Direttore Editoriale
Alex Bertani
Publishing manager Italia
Stefania Simonini
Coordinamento Editoriale
Serena Colombo (responsabile), Silvia Bia, Mara Ghinelli

Direttore Responsabile
Marco M. Lupoi
Redazione
Davide Catenacci (caporedattore comics), Santo Scarcella (caporedattore attualità), Stefano Petruccelli (caposervizio comics), Francesca Agrati (caposervizio), Gaja Arrighini (caposervizio), Barbara Garufi, Gabriella Valera
Supervisione artistica
Andrea Freccero
Redazione grafica e artistica
Vito Notarnicola (caporedattore), Cristina Meroni (caposervizio), Luana Ballerani, Lorella Battagin
Segreteria di redazione
Francesca Fagioli (responsabile), Monica Gazzoli

Coordinamento Redazione/Marketing
Francesca Pavone
Marketing
Simona Bruni (Marketing manager)
Daniela Moretti (Product manager)
Enrico Sutera (Product manager)
Giovanna Ragusa (Product manager)
Vittorio Sessa (Marketing assistant)
Abbonamenti
Alessandro Doninelli (Senior manager)
Donata Fallarini (Subscription product manager)
Operations
Nadia Cucco (Production manager)
Stefania Rossi (Production assistant)

Hanno collaborato
Valentina Camerini, Lito Milano (Brugherio - MB), Hyphen- Media srl (BG), Monica Manzoni
Copertina
Concept, disegno e colore: Alessio Coppola

Paperino n. 513 - Mensile - Codice ISSN: 1123-8828
Pubblicazione registrata presso il Tribunale di Modena n. 2152 del 2 settembre 2013
Stampa e rilegatura: Rotolito S.p.a., Seggiano di Pioltello (MI)

Paperino è in vendita nei seguenti Paesi:
Svizzera: 9,70 CHF.
Prezzo abbonamento annuale
senza dono (12 numeri): € 41,80
Promozioni ed offerte sul sito:
www.abbonamentipanini.it - *tel:* 059/382460

Avviso sui contenuti
Questo titolo include rappresentazioni negative e/o trattamenti errati nei confronti di persone o culture. Questi stereotipi e comportamenti erano sbagliati allora e lo sono oggi. La rimozione di questo contenuto negherebbe l'esistenza di questi pregiudizi e il loro impatto dannoso sulla società. Scegliamo invece di trarne insegnamento per stimolare il dialogo e creare insieme un futuro più inclusivo.
Disney si impegna a creare storie con temi ispiratori e aspirazionali che riflettano la ricca diversità dell'esperienza umana in tutto il mondo.
Per ulteriori informazioni su come le storie hanno avuto un impatto sulla società, visita il sito www.disney.com/StoriesMatter.

Servizio arretrati:
Prenota i numeri arretrati su www.primaedicola.it, ritirali nell'edicola di fiducia o richiedili all'edicolante. Per gli arretrati il prezzo di copertina è maggiorato di 2 €. La disponibilità di copie arretrate è limitata agli ultimi due mesi, salvo numeri esauriti.
Distribuzione edicola: M-DIS (MI). *Altri canali:* distribuito da Panini S.p.A. - Pan Distribuzione, Viale Emilio Po 380, 41126 Modena.
Concessionaria Esclusiva per la Pubblicità
EMMEI Adv: E-mail: adv@emmei.info
Tel.: 06 3232618 – 3661753830
Via Guido Reni, 33 – 00196 Roma - www.emmei.info